Roald
bien plus que d

Saviez-vous que 10 % des droits d'auteur * de ce livre sont versés aux associations caritatives Roald Dahl ?

Roald Dahl est célèbre pour ses histoires et ses poèmes, mais on sait beaucoup moins qu'à maintes occasions il a mis son métier d'écrivain entre parenthèses pour venir en aide à des enfants gravement malades.

La *Roald Dahl's Marvellous Children's Charity* poursuit ce travail fantastique en soutenant des milliers d'enfants atteints de maladies neurologiques ou de maladies du sang – causes qui furent chères au cœur de Roald Dahl. Elle apporte aussi une aide matérielle primordiale en rémunérant des infirmières spécialisées, en fournissant des équipements et des distractions indispensables aux enfants à travers tout le Royaume-Uni. L'action de la RDMCC a également une portée internationale car elle participe à des recherches pionnières.

Vous souhaitez faire quelque chose pour les aider ? Rendez-vous sur
www.roalddahlcharity.org

Le *Roald Dahl Museum and Story Centre* est situé aux abords de Londres, dans le village de Great Missenden (Buckinghamshire) où Roald Dahl vivait et écrivait. Au cœur du musée, dont le but est de susciter l'amour de la lecture et de l'écriture, sont archivés les inestimables lettres et manuscrits de l'auteur. Outre deux galeries pleines de surprises et d'humour consacrées à sa vie de façon dynamique, le musée est doté d'un atelier d'écriture interactif (*Story Centre*) et abrite sa désormais fameuse cabane à écrire. C'est un lieu où parents, enfants, enseignants et élèves peuvent découvrir l'univers passionnant de la création littéraire.

www.roalddahlmuseum.org

Le *Road Dahl's Marvellous Children's Charit*
est une association caritative
enregistrée sous le n° 1137409.
Le *Roald Dahl Museum and Story Centre* (RDMSC)
est une association caritative enregistrée sous le n° 1085853.
Le *Roald Dahl Charitable Trust*, une association caritative
récemment créée, soutient l'action de la RDMCC et du RDMSC.

* Les droits d'auteur versés sont nets de commission.

Publié pour la première fois par Puffin Books, 1993
Titre original : *The BFG*

LE BON GROS GÉANT

de Roald Dahl

Pièces pour enfants

Adaptation
de David Wood

Traduction de l'anglais
de Jean Esch

Illustrations
de Jane Walmsley

GALLIMARD JEUNESSE

Sommaire

Préface

Quand il eut fini de corriger le dernier jeu d'épreuves du *Bon Gros Géant*, mon mari se tourna vers moi et dit : « Liccy, s'il y a un classique parmi mes livres, je pense que c'est celui-ci. » Il paraissait heureux et détendu. Il s'est levé de son grand fauteuil, il est allé chercher un club de golf et est sorti dans le verger pour taper quelques balles. L'une d'elles est retombée devant la fenêtre de notre chambre, à cent quatre-vingt-quatorze mètres de là, un joli *drive*. Dans sa jeunesse, Roald avait été un excellent golfeur.

Pourquoi *Le BGG* était-il son chouchou ? Pour plusieurs raisons. Roald souffrait d'insomnies et il restait éveillé pendant des heures, plongé dans ses rêves de gloire. Par exemple, il se voyait jouer dans l'équipe d'Angleterre de cricket. Vêtu du maillot du batteur, il descendait les marches des vestiaires, traversait le terrain et prenait place. Le public retenait son souffle en voyant ce bel homme de soixante-cinq ans débraillé et boitillant. Qui était-ce ? Le capitaine était-il devenu fou ? Comment ce vieil homme pouvait-il sauver l'Angleterre ? Et, bien évidemment, c'était ce qui se produisait. Chaque balle qu'il frappait était un coup gagnant. Pas moyen de l'arrêter. En deux temps trois mouvements, le match était gagné. La reine lui offrait une grosse médaille et il faisait le tour de l'Angleterre à bord d'un bus découvert, sous les applaudissements et les hourras de la foule. Il était leur héros.

Une autre raison : il avait très envie que M. Schweppes fabrique la frambouille afin que tout le monde se promène dans la grand-rue en faisant des *crépitages*, et aussi dans leurs salles de classe, etc.

Mais personnellement, je pense qu'il essayait de nous dire que « l'homme de terre » peut se montrer bestial : un avertissement adressé à chacun de vous. Le monde a besoin de héros comme le BGG. Peut-être qu'un jour vous serez un héros et un grand homme de terre sympathique. Je l'espère. En attendant, continuez à lire ce livre et amusez-vous à jouer la pièce.

Felicity DAHL

Introduction

Roald Dahl était investi d'une mission : inciter les enfants à lire des livres. L'immense popularité de ses histoires donne la mesure de sa réussite.

Mon objectif, en tant qu'auteur de théâtre, est de faire découvrir aux enfants le plaisir d'une représentation vivante. Par conséquent, l'invitation à adapter *Le Bon Gros Géant* pour la scène représentait un défi auquel je ne pouvais pas résister. Le titre à lui seul suffirait à encourager de nombreux enseignants et parents à emmener des enfants voir la pièce. Mais pour moi, cela entraînait une énorme responsabilité : traduire fidèlement le livre, page à page, pour éviter de décevoir ses fidèles admirateurs.

Heureusement, la pièce fut un succès, aussi bien en tournée qu'à Londres. Résultat : plusieurs enseignants et parents m'ont suggéré d'adapter *Le BGG* sous la forme d'un ensemble de courtes pièces que les enfants pourraient lire et peut-être jouer eux-mêmes.

Grâce à mon éditeur, les voici ! J'ai tenté de varier leur longueur. Ce qui permet à toute une classe ou à un groupe d'élèves de participer. Certaines pièces exigent une distribution plus réduite, et des acteurs plus expérimentés. Toutes peuvent être mises en scène sans décors ni effets spéciaux compliqués. Quelques pièces conviennent pour des festivals de pièces en un acte. J'ai tenté avant tout de les rendre amusantes car j'ai toujours pensé que ce n'était pas une coïncidence si le verbe « jouer » avait deux significations.

Le problème d'échelle ne peut pas être évité quand on adapte et joue l'histoire d'une petite fille et d'un géant de sept mètres ! La solution est très simple, en fait. Dans les pièces du pays des Géants, tous les géants, y compris le BGG, sont interprétés par des personnes, mais Sophie est jouée par une poupée ou une marionnette, manipulée par une actrice qui lui prête sa voix. Dans la pièce de la salle de bal de Buckingham Palace, les êtres humains sont interprétés par des êtres humains, et le BGG doit être vraiment grand ! Une marionnette géante est une possibilité, mais c'est délicat. Un acteur perché sur un escabeau et qui regarde par-dessus une toile peinte, ça pourrait marcher. Ou bien on pourrait même imaginer le BGG en coulisses. Je suis sûr que l'on peut trouver beaucoup d'autres solutions inventives.

Pour finir, j'aimerais dire combien ce fut *farabuleux* d'écrire ces pièces, inspirées d'une histoire aussi *délexquisavouricieuse*. Je vous souhaite de passer de *savourables* moments à les lire et à les jouer.

David WOOD

L'enlèvement
de Sophie

Cette courte pièce peut faire appel à toute une classe ou à un groupe d'élèves, mais elle met l'accent sur la prestation de deux acteurs seulement. Ce pourrait être un moyen idéal pour faire découvrir à des enfants la notion de « jouer une histoire ». S'ils apprécient cette scène relativement simple, peut-être auront-ils envie de poursuivre avec quelque chose de plus complexe.

Personnages

Six acteurs ou actrices. Ils peuvent porter leurs propres vêtements ou bien un « uniforme » dans le genre blue-jean et tee-shirt. (L'actrice 5, qui « devient » presque Sophie, pourrait porter une chemise de nuit et des lunettes, comme la Poupée Sophie, qu'elle tient dans sa main. Mais ce n'est pas essentiel.)

Le BGG : il devrait porter une chemise, un gilet, un pantalon, une ceinture et des sandales, comme dans le livre. Et aussi une cape.

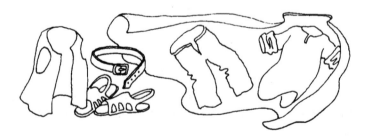

Décor

N'importe quel espace vide.

Accessoires

La Poupée Sophie : une poupée vêtue d'une chemise de nuit et portant des lunettes pour représenter Sophie.

Une maison de poupée : il faudrait qu'elle puisse s'ouvrir pour recevoir la Poupée Sophie et qu'elle possède une fenêtre par laquelle le BGG va l'enlever.

La valise du BGG : elle contient un bocal de rêves.

La trompette du BGG, souffleuse de rêves : il faut pouvoir l'attacher à la valise.

Un bocal de rêves : un bocal ou une bouteille ayant une forme originale, incassable de préférence ! Il doit être peint de couleur vive.

Une lampe de poche.

Bruitages

Aucun n'est indispensable, mais il pourrait être intéressant d'utiliser le bruit d'un vent mystérieux qui mugit, en fond sonore pendant le chœur : «Il court, il bondit, il saute…»

La fanfare peut être jouée avec des instruments ou imitée par des acteurs. Une musique sinistre pourrait accompagner l'entrée du BGG. Des coups frappés sur un bloc de bois ou un xylophone pourraient suggérer le temps qui passe.

Éclairage

Aucun éclairage spécial n'est requis. Néanmoins, pour obtenir plus d'effet, il serait intéressant de baisser la lumière au moment de l'entrée du BGG, ou bien de l'éclairer lui seul.

L'ENLÈVEMENT DE SOPHIE

Le rideau se lève.

Toute la troupe, à l'exception du BGG, se réunit en demi-cercle. La plupart des acteurs resteront dans cette position pour assister à l'action qui se déroule devant eux. La maison de poupée se trouve sur le côté. Fanfare.

TOUS
Le Bon Gros Géant, une pièce de Roald Dahl.

(Fanfare)

Le début de l'histoire.

(Fanfare)

L'enlèvement de Sophie.

ACTEUR 1
C'était la nuit…

ACTEUR 2
Il imite le cri d'un hibou.

ACTEUR 3
   … à l'orphelinat.

L'Actrice 4 dépose la maison de poupée au centre de la scène et reste à côté.

ACTRICE 5, *elle s'avance en tenant la Poupée Sophie.*
Dans le dortoir, Sophie n'arrivait pas à dormir.

L'actrice 4 ouvre la maison de poupée.

L'actrice 5 place la Poupée Sophie à l'intérieur.

L'actrice 4 ferme la maison de poupée, puis regagne le demi-cercle.

L'actrice 5 devient la narratrice principale.
Elle joue l'histoire en même temps qu'elle la raconte.

ACTRICE 5
Un clair de lune brillant éclairait son oreiller.

L'acteur 6 allume une lampe de poche et éclaire la fenêtre du haut de la maison de poupée.

Elle se leva sans bruit pour aller chercher un verre d'eau.

ACTRICE 6

Sophie ! Retourne te coucher immédiatement. Tu connais le règlement.

ACTRICE 5

Madame Clonkers ! Sophie retourna se coucher.
Elle fit un gros effort pour s'endormir. Les minutes s'écoulaient.

L'acteur 7 imite le tic-tac d'une pendule sur un bloc de bois ou sur un xylophone.

L'orphelinat était totalement silencieux. C'est peut-être ça que l'on appelle l'heure fatale, se disait Sophie, ce moment particulier de la nuit où tous les gens sont plongés dans un sommeil très profond et où toutes les choses sombres sortent de leurs cachettes pour s'emparer du monde. À pas feutrés, elle s'approcha de la fenêtre. Et soudain, elle vit... un géant !

L'acteur 8, vêtu d'une cape et portant une valise, apparaît sous les traits du BGG. Il traverse le demi-cercle. Les acteurs s'accroupissent, impressionnés et effrayés. Le BGG toise la maison de poupée, puis s'avance vers le bord de la scène pour mimer la narration.

Il s'arrêta devant la maison d'en face, se pencha pour regarder par une fenêtre de chambre et...

Le BGG ouvre sa valise, en sort un bocal dont il verse le contenu dans l'embouchure d'une grande trompette. Puis il souffle par la fenêtre imaginaire. Tous les acteurs imitent le bruit du souffle. Le BGG remet le bocal dans la valise et y rattache la trompette. Puis il se retourne vers la maison de poupée.

Avec un hoquet de surprise. C'est alors qu'il aperçut Sophie. Celle-ci s'éloigna de la fenêtre, traversa le dortoir en courant, plongea sur son lit et se cacha sous ses couvertures, en tremblant de la tête aux pieds.

Le BGG s'approche de la maison de poupée. Il jette un coup d'œil par la fenêtre et, avec un grognement, il introduit la main à l'intérieur et s'empare de la Poupée Sophie. Il la brandit fièrement.

Aaaaaaah!

Le BGG glisse la Poupée Sophie sous sa cape et se place au centre de la scène. Puis il se met à courir sur place, au ralenti, conformément à la description qui suit.

ACTEURS, *en chœur*
Il court, il bondit, il saute dans la nuit. Par-dessus les champs, par-dessus les haies, par-dessus les

rivières, chacune de ses enjambées est aussi grande qu'un court de tennis. De plus en plus vite, de plus en plus vite, ses pieds touchent à peine le sol. Par-dessus les océans, par-dessus les forêts, par-dessus les montagnes...

Le BGG ralentit puis sort de scène en franchissant le demi-cercle.

(Ils se relèvent lentement.) Vers un pays inconnu des humains.

RIDEAU

Sophie au pays
des Géants

Dans cette pièce, le BGG et Sophie font connaissance. Au début, l'ambiance est tendue entre eux, puis elle se détend légèrement. À l'inverse, la tension monte entre les autres géants, et cela se termine par une sauvage expédition pour dévorer des mouflets.

Personnages

Sophie : l'actrice devra être habillée comme la poupée qu'elle tient à la main, en chemise de nuit, avec des lunettes. Elle s'exprime « à travers » la poupée. Il est important que le BGG regarde toujours la poupée, jamais l'actrice !

Le BGG : vêtu d'une chemise, d'un gilet, d'un pantalon avec une ceinture et chaussé de sandales. La cape est facultative.

Les Géants : l'Avaleur de chair fraîche, le Buveur de sang, le Croqueur d'os, le Mâcheur d'enfants, l'Empiffreur de viande et le Gobeur de gésiers (rôles parlants).

Autres Géants (sans texte), si nécessaire : le Garçon boucher, l'Écrabouilleur de donzelles, l'Étouffe-chrétien. Ils pourront porter des tuniques amples ou bien un simple jean et un tee-shirt foncé. L'élément le plus important de leur costume, c'est le masque. Ils doivent tous être différents et le plus horribles possible. Vous pouvez utiliser des masques fixés sur un « casque », comme sur l'illustration ci-dessous. Quand l'acteur baisse la tête, son visage disparaît. De plus, sa voix porte mieux ainsi.

Décor

D'un côté de la scène se trouve la caverne du BGG. Celle-ci peut être représentée tout simplement avec une table et un tabouret. Il est possible, toutefois, de créer une caverne plus authentique, en y ajoutant des rayonnages de bocaux de rêves, des murs ressemblant à de la pierre et une entrée.

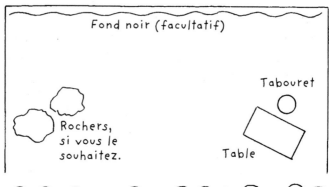

L'autre côté de la scène – la partie principale – repré-
sente *le pays des Géants*. Elle ne nécessite aucun décor
particulier, mais vous pouvez disposer des « rochers » sur
lesquels s'assoiront les Géants. Un rideau noir, ou une
toile peinte, servira éventuellement de fond.

Accessoires

La Poupée Sophie : elle est vêtue d'une chemise de nuit
et porte des lunettes. Ce peut être une marionnette
enfilée sur une baguette, avec une autre baguette pour
actionner son bras.

Poupées « hommes de terre » : quelques poupées molles
qui seront « mangées » par les Géants. Elles seront cou-
chées sur scène, prêtes à être découvertes.

Bruitages

Ils ne sont pas nécessaires, mais il est possible d'utiliser des percussions ou une musique trépidante pour les épisodes sinistres avec les Géants.

Éclairages

Aucun éclairage spécial n'est indispensable, mais il serait sans doute judicieux d'établir une différence entre la zone de la caverne et le territoire des Géants. La caverne doit paraître confortable, par contraste avec l'atmosphère lugubre du pays des Géants, qui pourrait être éclairé en rouge ou en vert. Quand les Géants se déplacent, à la recherche des «hommes de terre», une lumière qui clignote ou un éclairage intermittent de type «stroboscope» peut ajouter à la tension.

SOPHIE AU PAYS DES GÉANTS

Le rideau se lève.

Avant que la pièce débute pour de bon, Sophie présente la Poupée Sophie au public.

SOPHIE

Voici Sophie, une orpheline. Une nuit, par la fenêtre de son dortoir, elle aperçoit… un géant !

Entre le BGG. Il s'empare de la Poupée Sophie et l'emporte dans sa caverne.

Il l'enlève. Terrorisée, elle se retrouve dans un pays étrange, inconnu des êtres humains.

Sophie se dirige vers la caverne et s'agenouille devant la table, tandis que le BGG pose la Poupée Sophie. Sophie prend la poupée et la manipule comme une marionnette, tout en lui prêtant sa voix.

BGG, *penché au-dessus de la Poupée Sophie*
Ah! voyons voir ce que nous avons là!

Il examine attentivement la Poupée Sophie. Au début, il ne doit pas paraître très sympathique.

SOPHIE, *d'un ton inquiet*
Où suis-je?

BGG
Dans ma caverne.

SOPHIE
Pourquoi m'avez-vous enlevée pour m'amener ici?

BGG
Parce que tu m'as vu. Celui ou celle qui voit un géant doit être enlevé sur-le-champ.

SOPHIE
Pourquoi?

BGG
Les hommes de terre ne croient pas aux géants, pas vrai? Les hommes de terre pensent que les géants n'existent pas.

SOPHIE
Moi, j'y crois.

BGG

C'est parce que tu m'as vu. Si je ne t'avais pas enle-vée, tu serais en train de cavaler partout en criant la nouvelle, tu irais dire à la télé que tu as vu un géant pour de bon, et alors une grande chasse au géant débuterait dans le monde entier. Les hommes de terre essaieraient de me capturer et de m'enfermer dans un zoo avec tous ces hippogrossesdames et ces alligrasporcs qui se tortillent.

SOPHIE

Qu'est-ce que je vais devenir?

BGG

Tu vas devoir rester ici, avec moi, toute ta vie.

SOPHIE

Oh, non!

BGG

Oh, si! Bon, j'ai faim!

SOPHIE, *d'une voix pantelante*

Par pitié, ne me mangez pas!

BGG, *hurlant de rire*

Parce que je suis un géant, tu penses que je suis un gobeur d'hommes canne à balles! Eh bien, non!

SOPHIE

Tant mieux.

BGG

Tu as de la chance. Si l'un des autres géants t'attrape, il te croquera à coup sûr. D'une seule bouchée délexquisavouricieuse!

SOPHIE

Les autres géants? Vous voulez dire que vous n'êtes
pas tout seul?

BGG

Bien sûr que non! Nous sommes au pays des Géants.
(Il reprend la Poupée Sophie.) Viens donc jeter un coup d'œil
par ici, petite, tu découvriras un spectacle épousté-
bouriffant.

*Il emporte la poupée à l'entrée de la caverne. Sophie le suit. Tous
deux regardent du côté opposé, là où apparaissent les autres
géants, marchant d'un pas lourd, l'air menaçant et affamé, poussant des grognements et s'agressant parfois entre eux. Ils se
signalent tour à tour, à mesure que le BGG les nomme.*

SOPHIE

Ça alors!

BGG

Tu en crois tes mirettes?

SOPHIE

Mais que font-ils, bon sang?

BGG

Rien. Ils traînaillent et flânouillent en attendant la nuit. Ensuite, ils se précipiteront là où vivent des hommes de terre afin d'y trouver des mouflets pour leur pitance.

SOPHIE

Où ça?

BGG

Dans le monde entier.

CROQUEUR D'OS

J'ai bien envie de galoper jusqu'en Grèce pour me goinfrer de délicieux mouflets!

Les autres géants approuvent en émettant des borborygmes.

BGG

Lui, c'est le Croqueur d'os. Il trouve que les marmots de Grèce sont les plus savoureux. Ils ont un goût... de gras.

SOPHIE

Évidemment.

Le Croqueur d'os rentre dans l'Avaleur de chair fraîche qui pousse un rugissement menaçant. Le Croqueur d'os recule en tremblant.

Qui est ce grand géant féroce?

BGG
C'est l'Avaleur de chair fraîche.

AVALEUR DE CHAIR FRAÎCHE
Moi, j'ai bien envie de mastiquer une poignée de mouflets de Wellington!

SOPHIE
Où se trouve Wellington?

BGG
Tu as la tête pleine de purée de mouches. Wellington, c'est en Nouvelle-Zélande.

SOPHIE
Quel goût ont les mouflets de Wellington?

BGG
Un goût de général anglais, évidemment.

SOPHIE
Bien sûr!... j'aurais dû m'en douter.

Buveur de sang

Moi, je tuerais bien quelques mouflets d'Angleterre!

Les autres approuvent en poussant des grognements.

Sophie

D'Angleterre?

BGG

Lui, c'est le Buveur de sang. Il trouve que les marmots anglais ont un délicieux goût de pou-dingue.

Sophie

Je crains de ne pas comprendre.

BGG

La signification n'a pas d'importance. Mes phrases
ne sont pas toujours adroites. Souvent, elles sont
même à gauche.

*Une querelle éclate parmi les géants. Ils grognent, se bousculent,
et se disputent pour savoir où aller.*

Rentrons. Tu finirais en hachis-charpie si jamais l'un
d'eux posait les mirettes sur toi. Il t'avalerait d'une
seule bouchée, comme un morceau de tarte au petit
rond, d'une bouchée.

Ils retournent à l'intérieur de la caverne.

Ici, tu es en sécurité.

Ils se figent pendant l'action suivante.

MÂCHEUR D'ENFANTS
C'est l'heure de la pitance !

Les autres géants approuvent par des grognements et ils se mettent à exécuter une sorte de danse guerrière. Soudain, ils s'arrêtent.

EMPIFFREUR DE VIANDE
C'est l'heure du souper !

Les géants poussent des cris de joie et recommencent à danser d'un pas lourd. Soudain, ils se figent à nouveau.

GOBEUR DE GÉSIERS
Des hommes de terre…

CROQUEUR D'OS
Des mouflets turcs…

AVALEUR DE CHAIR FRAÎCHE
Des mouflets de Wellington...

BUVEUR DE SANG
Des mouflets anglais...

TOUS
On arrive !

Les géants poussent des rugissements féroces et se précipitent vers le public en tapant du pied. Au bout d'une vingtaine de pas, ils s'arrêtent et jettent des regards menaçants autour d'eux, en reniflant d'un air affamé. Soudain, un grand cri de joie : ils ont découvert des poupées. Ils sautent dessus, les ramassent, se les lancent, et poussent des grognements de bonheur, se régalant par avance. Tout à coup, ils brandissent tous leurs poupées.

Hommes de terre ! Hommes de terre !

Ils font mine de dévorer sauvagement les poupées, comme s'ils en arrachaient les membres, les fourraient dans leur bouche et les mâchaient. Repus, ils se laissent tomber par terre, comme ivres, et se mettent à ronfler. Leurs ronflements s'atténuent lorsque l'action nous ramène dans la caverne.

SOPHIE
Je trouve que c'est horrible de manger des enfants.

BGG

Je te l'ai dit : moi, je ne mange pas de mouflets. Pas moi ! Moi, je suis un géant bizarre ! Je suis un gentil géant embrouillé. Je suis le BGG.

SOPHIE

Le BGG ?

BGG

Le Bon Gros Géant ! Et toi, c'est quoi, ton nom ?

SOPHIE

Je m'appelle Sophie.

BGG

Enchanté, Sophie. *(Il serre la main de la Poupée Sophie, en douceur.)* Est-ce que tu es bien au chaud dans ta chemise de nuit, Sophie ? Tu n'es pas trop frisquette ?

SOPHIE

Non, ça va.

BGG

Je ne peux m'empêcher de penser à ta pauvre mère et à ton pauvre père. À l'heure qu'il est, ils doivent courir et sauter dans toute la maison en criant : « Oh, oh ! Où est passée Sophie ? »

SOPHIE

Je n'ai ni mère ni père. Ils sont morts quand j'étais bébé.

BGG

Tu es une zorpheline ?

SOPHIE

Oui.

Le BGG prend délicatement la poupée des bras de Sophie et la tient à hauteur de ses yeux.

BGG

Pauvre petite mouflette ! tu me fais de la peine.

SOPHIE

Non, ne soyez pas triste. À l'orphelinat, personne ne se fera beaucoup de souci pour moi.

BGG

Tu étais heureuse là-bas ?

SOPHIE

Je détestais cet endroit. Un jour, Mme Clonkers m'a enfermée dans la cave.

BGG

Pourquoi ?

SOPHIE

Parce que je n'avais pas plié mes vêtements.

BGG

La sale vieille scrofule!

SOPHIE

C'était affreux. Il y avait des rats.

BGG

L'infâme vieille tourneboule! Tu me fais encore plus de peine.

Il sanglote, rend la Poupée Sophie à Sophie et s'assoit sur le tabouret.

SOPHIE

Ne pleurez pas, BGG. S'il vous plaît.

Le BGG se ressaisit.

Écoutez, BGG, on ne peut pas rester assis les bras croisés.

BGG

Que veux-tu dire?

Sophie

On ne peut plus laisser des enfants se faire dévorer.
Il faut arrêter ces monstres.

BGG

Nous ? Redoncule et un pot cible.

Sophie, *elle s'emporte.*

Balivernes ! C'est à nous d'agir ! Nous devons sauver
les enfants du monde entier !

RIDEAU

Schnockombre
et Frambouille

Dans le roman, le BGG et Sophie reçoivent la visite d'un seul géant – le Buveur de sang –, mais j'ai estimé qu'il serait plus intéressant, sur un plan théâtral, de le faire accompagner de l'Avaleur de chair fraîche. Deux géants peuvent menacer le BGG plus sérieusement qu'un seul !

Personnages
Le narrateur

Le BGG : vêtu de sa chemise, de son gilet, de son pantalon, avec la ceinture, et chaussé de ses sandales.

Sophie : l'actrice et la poupée Sophie, toutes les deux en chemise de nuit, avec des lunettes.

Le Buveur de sang et l'Avaleur de chair fraîche : ils portent des demi-masques ou des demi-coiffes, et des costumes adaptés : une tunique ample, par exemple, ou un simple jean avec un tee-shirt de couleur sombre.

Décor
La caverne du BGG : elle abrite une table et un tabouret ; une entrée et une étagère garnie de bocaux de rêves pourraient produire leur effet, mais ce n'est pas indispensable.

Accessoires
Le schnockombre : un gros accessoire ressemblant à une

courge, comme décrit dans le livre, avec des bosses et des rayures noires et blanches. Il faut qu'il puisse se séparer en deux, les morceaux pouvant être maintenus par du Velcro. Quoi qu'il en soit, le Schnokombre doit être suffisamment grand pour que la poupée Sophie donne l'impression de « ramper » à l'intérieur, quand on la manipule par-derrière.

La bouteille de frambouille : une grande bouteille verte opaque, c'est sans doute ce qu'il y a de mieux, avec un bouchon en liège.

Les bulles qui descendent peuvent être simplement imaginées, à moins d'inventer un procédé astucieux en utilisant de petites ampoules qui s'allument successivement à l'intérieur.

Bruitages

Ils peuvent être enregistrés ou exécutés en direct, dans les coulisses.

Au cours de la séquence au ralenti, un bourdonnement irréel et inquiétant, produit par un clavier électronique, renforcerait l'effet.

Quand la Poupée Sophie s'envole, vous pouvez user d'un sifflet dont le son monte et descend.

Un bruit de pétillement au moment où l'on débouche la bouteille de frambouille.

Pour les « crépitages » : de grands bruits de prouts, avec des *pop !* à la fin. Les crépitages du BGG doivent être énormes et vulgaires. Ceux de Sophie, plus discrets et délicats.

De la musique peut contribuer à renforcer la tension durant les épisodes inquiétants.

Éclairages

Aucun éclairage particulier n'est nécessaire, mais, dans la mesure du possible, on réduira la lumière lorsque le Buveur de sang et l'Avaleur de chair fraîche entrent dans la caverne, puis on augmentera de nouveau l'intensité quand ils s'en vont. Il serait intéressant d'avoir recours à un trucage, comme différentes lumières qui se succèdent pendant la scène du ralenti.

Le *pop !* de chaque crépitage peut être accompagné d'un flash.

SCHNOCKCOMBRE ET FRAMBOUILLE

Pour commencer, un narrateur doit expliquer la scène. (Si néces-
saire, Sophie peut se charger de la narration, en montrant la Pou-
pée Sophie, avant d'«entrer» dans la scène.)

LE NARRATEUR
Sophie a été enlevée dans le dortoir de l'orphelinat
par le Bon Gros Géant qui l'a emmenée au pays des
Géants. Sophie découvre que tous les autres géants
qui vivent là adorent manger des êtres humains.
Heureusement, elle a été enlevée par le seul géant
qui n'en mange pas...

Le rideau se lève. Le BGG, debout devant sa table, regarde la Pou-
pée Sophie, debout sur la table, manipulée par Sophie, qui est
agenouillée par terre et récite son texte «par l'intermédiaire» de
la poupée.

SOPHIE
Dites-moi, BGG... si vous ne mangez pas d'êtres
humains, que mangez-vous, alors?

BGG, *en s'asseyant*

Ça, ma petite Sophie, c'est un problème difficultueux. Dans ce Pays des Géants calaminable, la bonne mangeaille comme les ananas ou les sixtrouilles, ça ne pousse pas. Rien ne pousse, à l'exception d'un légume très nauséabeurk. On l'appelle le schnockombre.

Sophie

Le schnockombre? Ça n'existe pas!

BGG

Tu me traites de mensongeur?

Sophie

Euh...

BGG, *fâché*

Ce n'est pas parce que tu n'as jamais vu une chose qu'elle n'existe pas. Et le grand bizarro sauteur d'Écosse, alors?

Sophie

Je vous demande pardon?

BGG

Et le frisabosse?

SOPHIE

C'est quoi, ça?

BGG

Et le bossalo? Et le scrompgneugneu?

SOPHIE

Ce sont des animaux?

BGG

Ce sont des animaux très courants. Je ne suis pas moi-même un géant qui sait tout, mais j'ai l'impression qu'il n'y a pas plus ignorant que toi chez les hommes de terre. Tu as le cerveau rempli de coton francophile.

SOPHIE

Vous voulez dire de coton hydrophile?

BGG, *pompeusement*

Ce que je veux dire et ce que je dis, ce sont deux choses différentes. *(Il se lève.)* Je vais te montrer de ce pas ce qu'est un schnockombre.

Le BGG trouve un énorme légume à rayures noires et blanches, de la forme d'un concombre, avec des bosses, une sorte de massue pour géant.

SOPHIE

Ça alors! Ça n'a pas l'air très appétissant.

BGG

C'est dégoûtable! C'est nauséabeurk! C'est répu-
gnable! *(Il l'ouvre en deux.)* Goûte!

Il en tend une moitié à la Poupée Sophie.

SOPHIE

Beurk! Non merci!

BGG

Il n'y a rien d'autre à avaler. Vas-y, essaie.

La Poupée Sophie grignote un petit bout.

SOPHIE

Baaaaaah! Oh, non! Ça a un goût de peau de gre-
nouille. Et de poisson pourri.

BGG, *il éclate de rire.*

Ah, ah! Pire que ça! Moi, je trouve que ça a un goût
de ver de vase et de cancrelat.

SOPHIE

Je suis vraiment obligée de le manger?

BGG

Oui, si tu ne veux pas devenir si maigre que tu disparaîtras dans un coude en l'air.

SOPHIE

Dans un courant d'air. Un coude en l'air, c'est différent.

BGG, *il va pour répliquer, puis se retient.*

Pour moi, les mots c'est un problème horripilateur. Je sais exactement les mots que je vais dire, mais ils finissent toujours par s'entortillembrouiller à la sortie.

SOPHIE

Ça arrive à tout le monde.

BGG, *tristement*

Pas autant qu'à moi. Je parle un horrible baragouinage.

SOPHIE

Je trouve que vous parlez magnifiquement.

BGG, *ravi*

C'est vrai? Tu n'es pas en train de m'entortiller?

SOPHIE

Non, j'adore votre façon de parler.

BGG

   C'est fantastoc! C'est faramidable! Merci, Sophie.

Soudain, ils sont interrompus par des bruits sourds et des cris.

BUVEUR DE SANG, *en voix off*

   Hé, minus! nabot!

AVALEUR DE CHAIR FRAÎCHE, *en voix off*

   Qu'est-ce que tu fabriques, nabot?

BGG

   Vite, Sophie, cache-toi!

SOPHIE, *elle joue le rôle du narrateur tandis qu'elle cache la Pou-*
   pée Sophie derrière le schnockombre sur la table.

   Sophie se cacha derrière le schnockombre.

Le Buveur de sang et l'Avaleur de chair fraîche font leur entrée.

BUVEUR DE SANG

   Aha!

AVALEUR DE CHAIR FRAÎCHE

   Aha!

Ils se plantent d'un air menaçant devant le BGG qui, assis à la table,
tente de paraître calme.

BGG

Hello ! Buveur de sang. Bonjour ! Avaleur de chair fraîche.

Buveur de sang

Garde tes hello ! Bonjour, nabot.

Avaleur de chair fraîche

On t'a entendu bavasser.

Buveur de sang et Avaleur de chair fraîche,
ensemble

Avec qui tu bavassais, nabot ?

BGG

Je bavassais avec moi-même.

Buveur de sang

Faribredaines !

Avaleur de chair fraîche et Buveur de sang,
ensemble

Tu parlais avec un homme de terre.

BGG

Non, non !

Buveur de sang

Si !

AVALEUR DE CHAIR FRAÎCHE
Si!

BUVEUR DE SANG
On te soupçonne d'avoir enlevé un homme de terre et de l'avoir ramené dans ton trou à rat pour en faire ton animal familier!

AVALEUR DE CHAIR FRAÎCHE
Alors, on s'en va le déloger et le gober en amuse-gueule avant le dîner!

Ils se mettent à renifler et à fouiller. Le BGG essaie de cacher la Poupée Sophie.

BGG, *nerveusement*
Il n'y a personne ici. Fichez-moi la paix!

BUVEUR DE SANG, *d'un ton menaçant*
Misérable petit avorton ratatiné!

AVALEUR DE CHAIR FRAÎCHE
Minuscule rogaton poitrinaire!

BUVEUR DE SANG ET AVALEUR DE CHAIR FRAÎCHE,
ensemble, en reniflant et en fouillant
Où il est? Où il est?

Ils se figent.

SOPHIE, *elle assure la narration tout en manipulant la Poupée Sophie, en donnant l'impression que celle-ci entre dans le schnockombre, mais en réalité elle la fait passer derrière.*
Terrorisée, Sophie ôta quelques graines visqueuses du schnockombre et, en cachette du BGG, elle rampa à l'intérieur du légume spongieux.

Buveur de sang et Avaleur de chair fraîche voient le schnockombre et s'en approchent. Le BGG veut intervenir pour protéger la Poupée Sophie, mais il est surpris de ne pas la voir.

BUVEUR DE SANG
Voilà donc la putréfiante et dégoûtable mangeaille que tu avales!

AVALEUR DE CHAIR FRAÎCHE
Tu dois être complètement maboule pour ingurgiter pareille courge molle.

BGG
Les schnockombres, c'est délexquisavouricieux!

BUVEUR DE SANG
Les hommes de terre, c'est plus savoureux.

BGG
Essayez. C'est exsucculent.

AVALEUR DE CHAIR FRAÎCHE
Tu n'es pas en train de nous escroquouiller, au moins?

BGG
Certainement pas! Les légumineuses, c'est très bon
pour la santé.

BUVEUR DE SANG
Hmmm… Juste pour une fois, je veux bien goûter ta
putréfiante mangeaille.

AVALEUR DE CHAIR FRAÎCHE
Mais si c'est dégoûtant, je te l'écrase sur ta répu-
gnante petite tête!

*Ils prennent chacun la moitié du schnockombre. Sophie cache la
Poupée Sophie derrière le Buveur de sang. L'action se déroule au
ralenti.*

SOPHIE, *sur le mode de la narration*
Sophie se sentit soulevée, soulevée… Elle s'accrocha
désespérément pour ne pas tomber.

*Le Buveur de sang et l'Avaleur de chair font mine de prendre une
bouchée.*

Soudain, on entendit un craquement lorsque le
Buveur de sang croqua un gros morceau à un bout.

Sophie vit ses dents jaunes se refermer, puis ce fut le noir complet. Elle était dans sa bouche! Terrorisée, elle attendait la bouchée suivante...

Au ralenti, le Buveur de sang et l'Avaleur de chair s'étouffent avec ce goût horrible.

BUVEUR DE SANG
Aaaaaaaaaaaarrrrgh!

AVALEUR DE CHAIR FRAÎCHE
Beeeeeeeuuuuurrrrk!

Ils crachent.

SOPHIE, *sur le mode de la narration*
Les gros morceaux de schnockombre, et Sophie elle-même, furent projetés à travers la caverne.

Elle manipule la Poupée Sophie. Lentement, elle lui fait décrire un arc de cercle de la bouche du Buveur de sang et de l'Avaleur de chair fraîche jusqu'au sol. Puis elle s'allonge à côté d'elle. Les deux géants cessent brusquement de se déplacer au ralenti.

BUVEUR DE SANG
Espèce de goret bâtard!

AVALEUR DE CHAIR FRAÎCHE
Sale mâchouilleur d'épluchures!

BUVEUR DE SANG ET AVALEUR DE CHAIR FRAÎCHE,
ensemble
C'est dégoûtable !

Ils frappent le BGG sur la tête avec les deux moitiés du schnockombre.

BGG, *en se massant le crâne*
Vous n'aimez pas ça ?

BUVEUR DE SANG
Il faut être complètement toc-toqué pour avaler une telle bouffpitance !

AVALEUR DE CHAIR FRAÎCHE
Alors que chaque nuit tu pourrais galoper, heureux comme un hamburger, et gober de savoureux hommes de terre !

BGG
Manger des hommes de terre, c'est mal et méchant. Vous êtes dégugnants !

BUVEUR DE SANG
Et toi, tu es une insulte au peuple des géants ! Tu ne mérites pas d'être un géant !

AVALEUR DE CHAIR FRAÎCHE
Tu n'es qu'un minablicule petit nabotin! Tu n'es qu'un... qu'un... un pet-de-nonne à la crème de vent.

Le Buveur de sang et l'Avaleur de chair fraîche sortent en braillant. Le BGG vérifie qu'ils sont bien partis.

BGG, *en murmurant*
Sophie? Où es-tu, Sophie?

SOPHIE
Je suis là.

Le BGG découvre la Poupée Sophie par terre et la ramasse délicatement.

BGG
Oh, comme je suis heureux de te retrouver tout entière!

SOPHIE
J'étais dans la bouche du Buveur de sang!

BGG
Hein?

SOPHIE
Je me suis cachée dans le schnockombre.

BGG

Et moi qui lui ai dit de le manger ! Oh, pardonne-moi, pauvre petite mouflette. Il te faut de la frambouille pour te requinquer.

Il emporte la Poupée Sophie vers la table, suivi de Sophie.

Sophie

De la frambouille ?

BGG

Oui, de la frambouille. *(Il sort fièrement une bouteille contenant un liquide vert.)* J'en bois beaucoup. C'est délicculent, la frambouille pétillante !

Il enlève le bouchon. Ça pétille. Si possible, on voit des bulles descendre dans la bouteille.

Sophie

Hé, regardez ! Ça pétille dans le mauvais sens !

BGG

Que veux-tu dire ?

Sophie

Ça pétille vers le bas. Dans nos boissons pétillantes, les bulles remontent vers le haut.

BGG

C'est faribolesque !

SOPHIE

Je vous assure !

BGG

Vers le haut, c'est le mauvais sens.

SOPHIE

Pourquoi ?

BGG

Si tu ne vois pas pourquoi, c'est que tu n'as pas plus de cervelle qu'un canneton ! Des bulles qui montent, c'est une désastrophe catastreuse !

SOPHIE

Mais pourquoi ?

BGG

Écoute. Quand tu bois ton Coca ou ton Pepsi, il descend tout droit dans ventre. Vrai ou faux ?

SOPHIE

Vrai.

BGG

Et les bulles aussi, elles descendent dans ton ventre. Vrai ou faux?

Sophie

C'est encore vrai.

BGG

Si les bulles pétillent vers le haut, elles vont remonter dans ta gorge, ressortir par ta bouche et faire un sale renvoi roteux!

Sophie

C'est souvent vrai. Mais quel mal y a-t-il à faire un petit rot de temps en temps? C'est amusant.

BGG

Roter, c'est sale. Nous autres, géants, ça ne nous arrive jamais.

Sophie

Mais avec votre boisson...

BGG

La frambouille.

Sophie

Avec la frambouille, les bulles que vous avez dans le

ventre, elles descendent, et cela risque de produire un résultat encore plus désagréable.

BGG

Pourquoi désagréable ?

Sophie

Parce qu'elles vont sortir par un autre endroit en faisant un bruit encore plus fort et malpoli.

BGG

Un crépitage ! Nous autres, les géants, nous crépitons tout le temps ! Le crépitage, c'est un signe de bonheur. C'est une musique pour nos oreilles !

Sophie

Mais c'est... c'est malpoli !

BGG

Pourtant, toi aussi tu crépites parfois, non ?

Sophie

Tout le monde... crépite. Les rois et les reines, les vedettes de cinéma, et même les bébés. Mais là d'où je viens, ce n'est pas poli d'en parler.

BGG

C'est redoncule ! Si tout le monde fait des crépitages, pourquoi on va ne pas en parler? On va boire une lampée et voir le résultat!

Le BGG boit au goulot. Il s'arrête. Puis l'extase se lit sur son visage. Soudain, un crépitage tonitruant manque de le propulser dans les airs.

Youpi!

Un autre.

Yahou!

Un autre.

Yeaaahhhhh!

Sophie ne peut s'empêcher de rire.

Bois-en toi aussi.

SOPHIE
Euh...

BGG
Vas-y. C'est savourable!

Il approche la bouteille de la bouche de la Poupée Sophie. Une pause.

SOPHIE
C'est bon.

BGG
Attends !

Soudain, un crépitage propulse la Poupée Sophie dans les airs. Puis une succession de crépitages lui fait faire des sauts périlleux.

SOPHIE
Youpiii ! Youpiiii !

Le BGG éclate de rire. Finalement, tous les deux se calment, la Poupée Sophie est dans les bras du BGG.

BGG, *en bâillant*
C'est l'heure de piquer un roupillon. Bonne nuit, Sophie.

SOPHIE, *endormie*
C'était amusant. Bonne nuit, BGG.

Sophie se couche en chien de fusil aux pieds du BGG.

RIDEAU

La pêche aux rêves
et le spectacle
des rêves

Il s'agit sans doute de la pièce la plus ambitieuse de ce recueil, sur le plan du jeu. Elle permet d'utiliser une large distribution. Mais la mise en scène ne doit pas poser de problème.

Personnages

Sophie : l'actrice manipule une poupée de Sophie pour représenter le personnage de Sophie ; il est souhaitable que l'une et l'autre soient vêtues d'une chemise de nuit et portent des lunettes.

Le BGG : il porte sa cape, sa chemise, son gilet, sa ceinture, son pantalon et ses sandales.

Les Géants : l'Avaleur de chair fraîche, le Buveur de sang, le Croqueur d'os, le Mâcheur d'enfants, l'Empiffreur de viande et le Gobeur de gésiers (ce sont tous des rôles parlants).

Autres géants : si nécessaire. Tous les géants porteront un masque sur le visage ou une coiffe-masque sur la tête, et peut-être une tunique.

Miss Plumridge : une maîtresse d'école, âgée, sans aucun humour et éventuellement vêtue d'un cardigan et d'une jupe.

Rebecca : une élève.

Une classe d'enfants : aussi nombreux que possible, ils porteront un uniforme ou leurs tenues de tous les jours.

Le Proviseur : sévère, habillé d'un costume, il peut porter une toge et un couvre-chef de professeur.

Maman : une voix en coulisses.

Sam : un élève.

Papa : un homme pontifiant, juste vêtu d'un drap de bain.

Décor
Comme pour *Sophie au pays des Géants*, la caverne se situe sur un côté de la scène (elle ne doit pas prendre trop de place). Le reste de la scène peut rester vide.

Accessoires
La poupée ou la marionnette de Sophie.

Les bocaux de rêves du BGG : ils doivent être posés sur des étagères dans sa caverne. Si possible, on les peindra de couleurs multiples pour représenter des rêves diffé-rents. Ce serait encore plus parlant s'ils contenaient des lumières qui les fassent briller. (Les trois bocaux que le BGG utilise pour capturer ses rêves au pays des Rêves doivent sembler vides tout d'abord, puis colorés quand on y met un rêve. Une ampoule alimentée par une pile et placée à l'intérieur pourrait produire cet effet; ou bien le bocal sera coloré d'un côté et peint couleur argent de l'autre pour paraître opaque. En tournant chaque bocal, le BGG peut donner l'impression qu'il est plein. Chaque bocal doit être fermé par un bouchon.)

Une valise pouvant contenir trois bocaux.

Vous pouvez remplir une valise avec un bloc de polystyrène dans lequel vous découperez des trous ayant la forme des bocaux, pour éviter qu'ils ne s'entrechoquent.

Un filet de pêche avec lequel le BGG attrape ses rêves.

Un lit : pour les séquences où l'on voit les rêves. Un lit placé sur scène pourrait être utile, mais ce n'est pas essentiel. Il vaut mieux que toutes les actions soient mimées. Tableau noir et téléphone ne sont donc pas nécessaires. De même, Sam devra faire semblant d'effectuer ses devoirs.

Bruitages

Vous pouvez utiliser une ambiance musicale appropriée durant la scène du pays des Rêves ainsi que dans la séquence du visionnage des rêves, mais ce n'est absolument pas obligatoire.

Le bruit du vent qui siffle pourrait aider à suggérer le voyage vers le pays des Rêves, puis le retour, et le trajet jusqu'au palais de Buckingham.

Une sonnerie de téléphone (en direct, enregistrée ou même imitée par un acteur en coulisses !).

Une musique entraînante pourrait intensifier la séquence du « mélange des rêves ».

Éclairage

Aucun éclairage particulier n'est nécessaire, mais il serait intéressant peut-être d'effectuer un fondu enchaîné entre la caverne et l'autre partie de la scène. Pour le pays des Rêves, il est possible d'utiliser quelques lumières colorées et mobiles, tout comme l'effet « brouillard tour-billonnant » provoqué par la neige carbonique.

Mais là encore, ce n'est pas essentiel.

LA PÊCHE AUX RÊVES
ET LE SPECTACLE DES RÊVES

Le rideau se lève.

La caverne du BGG se trouve sur un côté de la scène. De l'autre, les géants dorment couchés par terre, comme en plein air. Avant que la pièce proprement dite débute, l'actrice qui incarne Sophie plante le décor. Elle tient dans la main la Poupée Sophie.

SOPHIE, *sur le ton de la narration, elle présente la Poupée.*
Voici Sophie. Elle a été enlevée à l'orphelinat par un géant. Heureusement, il s'agit du Bon Gros Géant, qui aime bien Sophie et lui évite de se faire dévorer par les méchants géants qui vivent eux aussi au pays des Géants. Un matin, très tôt, dans la caverne du BGG, Sophie dort encore. Mais le BGG, lui, s'affaire…

Sophie se dirige vers la caverne, dépose la Poupée Sophie sur la table comme si celle-ci dormait, puis elle s'allonge sur le sol. Le BGG entre, vêtu de sa cape. Il prend trois bocaux «vides» sur les étagères et les met dans une valise, puis s'apprête à repartir. Sophie

se réveille et, se mettant à genoux devant la table, elle soulève la
Poupée Sophie comme si elle aussi se réveillait.

SOPHIE
BGG?

BGG, *il s'arrête.*
Oui?

SOPHIE
Où allez-vous?

BGG
Je pars travailler.

SOPHIE
Là où je vis? En soufflant dans votre trompette?

BGG, *choqué*
Tu m'as vu souffler?

SOPHIE
Oui. Que faisiez-vous?

BGG
Je peux te faire confiance?

SOPHIE
Évidemment.

BGG

Dans ce cas. Vois-tu, Sophie, je suis un géant souffleur de rêves. Je souffle des rêves dans les chambres où dorment des mouflets. De jolis rêves. De beaux rêves dorés. Des rêves qui font passer une nuit de bonheur aux rêveurs.

SOPHIE

Ça alors !

BGG

Tu vois ces bocaux ? C'est là-dedans que je conserve les rêves.

Il emporte la Poupée Sophie pour lui montrer.

SOPHIE

Tout ça, ce sont des rêves ? Mais où les trouvez-vous ?

BGG

Je les attrape.

SOPHIE

Vous les attrapez ? C'est impossible.

BGG

Tu ne crois pas aux rêves ?

SOPHIE
Si, bien sûr, mais…

BGG
Écoute. Les rêves sont une chose très mystérieuse. Ils flottent dans les airs, comme des bulles fines et floues, à la recherche de personnes endormies. Viens, je vais te montrer. Tu vas venir attraper des rêves avec moi!

SOPHIE, *enthousiaste*
C'est vrai? Oh, oui, s'il vous plaît!

BGG
Chuttt! Retiens tes poumons et croise le bout de tes doigts. C'est parti!

Il glisse la Poupée Sophie sous sa cape, prend sa valise, son filet et quitte la caverne. Sophie observe la scène suivante sur le côté de la scène. Les autres géants se mettent à ronfler au moment où le BGG sort de la caverne. Il passe devant eux à pas feutrés, en enjambant délicatement leurs membres étendus. Et au moment où on le croit tiré d'affaire…

AVALEUR DE CHAIR FRAÎCHE
Holà, l'avorton!

BUVEUR DE SANG
Holà, petite rognonnure!

BGG, *essayant de paraître décontracté*
Salut ! Vous avez fait un bon festin ?

Les autres géants se réveillent.

AVALEUR DE CHAIR FRAÎCHE
On s'est offert une pitance délixquise !

BUVEUR DE SANG
En Norvège !

CROQUEUR D'OS
On aime les omelettes norvégiennes fourrées aux hommes de terre !

Les géants s'esclaffent.

AVALEUR DE CHAIR FRAÎCHE
Où tu vas comme ça, l'avorton ?

Il attrape le BGG.

BUVEUR DE SANG
Où est-ce que tu te carapatailles comme ça ?

Lui aussi attrape le BGG.

BGG, *nerveux*
Sois gentil de me lâcher.

Les autres géants s'avancent.

CROQUEUR D'OS
Attrapons-le !

AVALEUR DE CHAIR FRAÎCHE
À toi, croqueur d'os !

Il pousse brutalement le BGG vers le Croqueur d'os. Puis les géants s'amusent à se le renvoyer ; ils lui arrachent son filet et se le lancent également.

CROQUEUR D'OS
À toi, empiffreur de viande !

EMPIFFREUR DE VIANDE
À toi, gobeur de gésiers !

GOBEUR DE GÉSIERS
À toi, mâcheur d'enfants !

MÂCHEUR D'ENFANTS
À toi, croqueur d'os !

Ils rigolent tandis que le BGG, qui s'accroche farouchement à sa valise, récupère son filet et se démène pour cacher la Poupée Sophie sous sa cape, est poussé de l'un à l'autre.

SOPHIE, *sur le ton de la narration*
Cachée sous la cape du BGG, Sophie croyait sa dernière heure arrivée. Enfin, les géants se lassèrent de leur jeu.

AVALEUR DE CHAIR FRAÎCHE
File, petit avorton!

Hébété, le BGG recule en titubant.

BUVEUR DE SANG
Petit nabot minable!

CROQUEUR D'OS
Petite crevette crevarde!

EMPIFFREUR DE VIANDE
Petit freluquet frelaté!

GOBEUR DE GÉSIERS
Petit avorton avarié!

MÂCHEUR D'ENFANTS
Petite larve torve!

Les géants sortent en riant. Le BGG vérifie que la Poupée Sophie est saine et sauve sous sa cape, puis il sort.

(Facultatif : Sophie, dans son rôle de narratrice, s'avance au centre de la scène. On entend le sifflement du vent, tandis que des volutes de brume envahissent la scène. Des lumières colorées dansent dans la fumée. Tout cela pour suggérer le pays des Rêves.)

SOPHIE
Serrant Sophie contre sa poitrine, le BGG courut et courut encore, il bondit, galopa et vola... jusqu'à ce qu'enfin...

Le BGG entre. Il sort la Poupée Sophie de sous sa cape. Sophie prend la poupée et la manipule de nouveau.

BGG
On est arrivés !

SOPHIE
Où ça ?

BGG
On est au Pays des Rêves. Là où naissent tous les rêves.

Peut-être que des sons ou une musique électroniques pourraient créer une atmosphère mystérieuse. Sophie et la Poupée Sophie regardent le BGG ouvrir sa valise. Puis il attend, il guette et soudain, il aperçoit un rêve qui flotte. Lentement, il avance avec son filet, vise et, d'un bond, il s'élève dans les airs et «attrape» le rêve. Ravi, il le dépose dans un des bocaux, qui s'illumine d'une lueur dorée lorsqu'il le rebouche. (Voir la partie consacrée aux accessoires.)

Nouvelle attente vigilante, puis un rêve apparaît. S'engage une poursuite énergique. Au premier essai, le BGG manque le rêve, il recommence et, cette fois, le « capture » triomphalement. Il l'enferme dans un autre bocal, qui prend une teinte rose.

Sophie et la Poupée Sophie observent le BGG qui guette de nouveau. Un troisième rêve se présente. Après l'avoir attrapé, le BGG est obligé de le maîtriser car le rêve tente de s'échapper du filet. Le BGG finit par le dompter et, faisant appel à toute sa force, réussit à le fourrer dans un bocal, qui se met à briller d'une lueur verte.

Après avoir placé les bocaux dans la valise et refermé celle-ci sèchement, le BGG prend la Poupée Sophie, la glisse sous sa cape et sort. (Option : le sifflement du vent se fait entendre à nouveau.) Sophie regagne la caverne du BGG.

SOPHIE, *sur le ton de la narration*

Quand le BGG et Sophie revinrent à la caverne, la nuit commençait à tomber.

Le BGG entre dans la caverne, il dépose sa valise sur la table et sort soigneusement la Poupée Sophie de sous sa cape. Sophie la reprend et la fait se tenir debout sur la table, pendant que le BGG ôte son gilet, puis ouvre sa valise.

BGG

Voyons voir quels rêves on a attrapés! *(Il brandit le bocal doré.)* Oh! c'est une boule de gnome! Une boule de gnome dorée!

SOPHIE

C'est bien?

BGG

Il n'y a pas mieux. Voilà qui va donner une nuit de bonheur à un mouflet quand je le soufflerai dans sa chambre.

SOPHIE

Comment le savez-vous?

BGG

J'entends la musique des rêves. Et je la comprends.

SOPHIE

Ça alors!

BGG

Et si je montrais ce rêve à Sophie?

SOPHIE

Oh oui, s'il vous plaît! Mais comment?

BGG

Concentre-toi! Regarde et écoute!

Alors qu'ils regardent fixement le bocal, le rêve se déroule de l'autre côté de la scène. Rebecca entre, s'allonge et s'endort. Elle peut se mettre sur un lit, mais ce n'est pas indispensable. La voilà qui bouge la tête de droite à gauche.

REBECCA

Je rêve… Je rêve… Je suis… *(elle ouvre les yeux, puis se lève et avance, et joue son rêve)* à l'école… en classe… et mon professeur, Miss Plumridge, nous parle sur un ton monotone et ennuyeux de Guillaume le Conquérant et de la bataille d'Hastings…

Pendant ce temps, Miss Plumridge et les autres enfants de la classe ont fait leur entrée. Les enfants s'assoient, comme s'ils étaient en cours. (Pas besoin de chaises, par terre c'est très bien.) Miss Plumridge fait mine de leur parler et d'écrire au tableau. Rebecca va s'asseoir avec les autres.

… quand soudain, je ne peux m'empêcher de fredonner une petite chanson. *(Elle fredonne.)*

MISS PLUMRIDGE

Rebecca, cesse immédiatement de fredonner!

Les autres enfants tentent, sans succès, d'étouffer leurs ricanements.

Rebecca

Je ne peux pas m'empêcher de fredonner ma petite chanson, et je la fredonne de plus en plus fort... *(En effet, elle se met à fredonner plus fort.)*

Miss Plumridge

Rebecca, allons! je t'ai dit d'arrêter...

Rebecca «influence» Miss Plumridge, qui se fige soudain. Les autres enfants se sont mis à fredonner, eux aussi.

Rebecca

Tout à coup, elle se fige, puis, lentement mais sûrement, elle se met à danser!

Miss Plumridge se met à danser, timidement, sans trop comprendre ce qui lui arrive. Ses mouvements se transforment en une sorte de rock frénétique et incontrôlé; elle balance les bras, agite les jambes. Les enfants fredonnent de plus belle, ils s'amusent comme des fous. Soudain, le proviseur fait irruption dans la classe. Le fredonnement cesse aussitôt, mais Miss Plumridge continue à danser.

Rebecca

Le proviseur!

PROVISEUR

Qu'est-ce qui se passe ici? *(Il aperçoit Miss Plumridge.)* Miss Plumridge! comment osez-vous danser en plein cours? Allez chercher votre manteau et quittez cette école pour toujours! Vous êtes renvoyée! Vous nous faites honte!

Rebecca «influence» le proviseur. Celui-ci se fige au moment où Rebecca se remet à fredonner. Les autres élèves se joignent à elle. Soudain, le proviseur se met à danser. Incapable de résister, il s'agite de manière de plus en plus frénétique. Les élèves jubilent quand il se trémousse avec Miss Plumridge. Tous les deux ont l'air en état de choc. Les élèves tapent en rythme dans leurs mains, en faisant «la la la». Finalement, Miss Plumridge et le proviseur sortent en dansant, suivis des élèves. Rebecca reprend la position dans laquelle elle dormait.

MAMAN, *en voix off*

Rebecca!

REBECCA

Soudain, j'entends la voix de maman...

MAMAN, *en voix off*

Réveille-toi! Ton petit déjeuner est prêt!

Rebecca se lève d'un bond. Elle semble déçue, puis elle se souvient de son rêve et quitte la scène en éclatant de rire. Pendant ce temps, dans la caverne, le BGG et Sophie contemplent le bocal doré et rient eux aussi.

SOPHIE

Quel rêve amusant !

BGG

C'est un tintinnabuleur !
Il pose le bocal doré sur l'étagère.

SOPHIE

On peut en voir un autre ? S'il vous plaît ?

BGG

Oui, c'est possible.
Il sort le bocal rose de la valise. Ils le regardent fixement.

Oh, oh ! c'est un crochetoutcœur rose ! Concentre-toi ! Regarde et écoute !

Là encore, le rêve est joué de l'autre côté de la scène. Sam entre et s'allonge ; il s'endort. Soudain, il se met à remuer la tête de droite à gauche.

SAM

Je rêve… Je rêve… Je suis… *(il ouvre les yeux, se redresse, puis joue son rêve)* en train de faire mes devoirs, j'essaie de résoudre un horrible problème d'algèbre, quand soudain...

Un téléphone sonne et une voix s'élève dans les coulisses. C'est Papa.

PAPA, *en voix off*
Sam! va répondre!

SAM
Je fais mes devoirs, papa!

PAPA, *en voix off*
Je suis dans mon bain. Réponds!

SAM
Tu as dit que je devais faire mes devoirs, papa.

Le papa entre en grognant. Il a les cheveux mouillés et est enveloppé dans une serviette éponge. Il semble très pompeux.

PAPA
Tu me le paieras, Sam. *(Il décroche un vrai téléphone ou fait semblant. La sonnerie s'arrête.)* Allô? Simpkins à l'appareil. *(Férocement)* Quoi?... Qui? *(Quand il entend la réponse, il se met au garde-à-vous et essaie de se faire beau.)* Bonsoir, monsieur... Oui, monsieur... Que puis-je pour vous, monsieur?... Simpkins, monsieur... Ronald Simpkins... Non,

monsieur, Ronald. En quoi puis-je vous être utile?...
Qui ça?... Euh, oui, il y a bien un Sam Simpkins à cette
adresse, mais je suppose que c'est à moi que vous souhaitez parler, monsieur, pas à mon jeune fils... Bien,
monsieur; je vais le chercher, monsieur. *(Il se tourne vers
Sam.)* Sam, c'est pour toi.

SAM

Oh! c'est qui, papa?

PAPA

Le... le président des États-Unis.

SAM, *d'un ton décontracté*

Ah ! Très bien. *(Il prend le téléphone.)*

PAPA, *hébété*

Tu connais le président des États-Unis?

SAM, *avec un sourire*

Non, mais il a dû entendre parler de moi.

*Alors qu'il parle au téléphone, Papa le regarde les yeux écarquillés
et bouche bée.*

(Décontracté) Allô?... Oh, salut!... C'est quoi, le problème?... Bien, monsieur le Président. Laissez, je
m'en occupe... Non, non, vous allez tout gâcher si

vous réglez ça à votre façon… C'est un plaisir, monsieur le Président. Bon, faut que je termine mon devoir d'algèbre. Bye! Bonne journée!

Stupéfait, Papa regarde Sam raccrocher. Papa sort de scène et Sam retourne se coucher. Il s'endort.

PAPA, *en voix off*
Sam!

SAM
Soudain, j'entends la voix de papa.

PAPA, *en voix off*
Lève-toi, espèce de paresseux, ou tu vas être en retard à l'école!

Sam se lève d'un bond; il semble déçu, puis il se souvient de son rêve et sort en éclatant de rire. Pendant ce temps, dans la caverne, le BGG et Sophie regardent le bocal rose en riant.

SOPHIE
Il était chouette, celui-là aussi!

BGG
Je te l'avais dit! *(Il pose le bocal rose sur l'étagère, puis sort le bocal vert de la valise.)* Qu'est-ce qu'on a là? *(Il l'observe et soudain…)* Aaaaah!

Sophie

Que se passe-t-il ?

BGG, *affolé*

Oh, non ! J'ai attrapé un… troglopompe !

Sophie

Un troglopompe ?

BGG

Oui. Un très mauvais rêve. Un cauchemar !

Sophie

Oh, zut. Qu'allez-vous en faire ?

BGG

Pas question de le souffler ! Si je faisais ça, il irait cailler le sang d'un pauvre petit mouflet. *(Il range le bocal dans sa valise.)* J'irai le rapporter dès demain. *(Il frissonne.)* Bouah ! Je déteste les troglopompes.

Soudain, un rugissement les fait sursauter. Ce sont les autres géants, dans les coulisses.

Vite ! Allons voir !

Alors que Sophie et le BGG, avec la Poupée Sophie, s'approchent de l'entrée de la caverne, les autres géants entrent, remplis d'énergie et de mauvaises intentions.

BUVEUR DE SANG
C'est l'heure de la pitance. Et je meurs de faim!

GÉANTS
Moi aussi! Moi aussi! Moi aussi!

CROQUEUR D'OS
Allons nous empiffrer d'hommes de terre!

Les géants approuvent d'une clameur.

MÂCHEUR D'ENFANTS
Carapatons-nous en Angleterre!

GOBEUR DE GÉSIERS
L'Angleterre est un pays délexquicieux et j'ai très envie de quelques marmots anglais!

Les géants l'acclament.

SOPHIE
Oh, non!

BGG
Chut!

EMPIFFREUR DE VIANDE
Je sais où il y a une boîte à sottes remplie de filles et je vais m'en mettre plein la panse.

AVALEUR DE CHAIR FRAÎCHE
Et moi, je connais une boîte à ballots pleine de garçons. Il suffit de plonger la main pour en attraper une poignée ! Les mouflets anglais ont un goût suavoureux !

Les géants l'acclament.

BUVEUR DE SANG
Suivez-moi… jusqu'en Angleterre !

Les géants l'acclament, puis se figent. Le BGG, Sophie et la Poupée Sophie retournent à l'intérieur de la caverne.

SOPHIE
Ce n'est pas possible ! Nous devons les en empêcher ! Il faut courir à leurs trousses et prévenir tout le monde en Angleterre de leur arrivée !

BGG
Redoncule et un pot cible. Ils vont deux fois plus vite que moi, ils auront fini leur mangeaille avant qu'on soit à mi-chemin. De plus, je ne veux pas me montrer devant des hommes de terre. Tu peux me croire, ils me mettront dans un zoo avec les gros rilles et chiens panzés.

SOPHIE
N'importe quoi !

BGG

Et toi, ils te renverront directement à l'orphelinat.
Les hommes de terre ne sont pas réputés pour leur
gentillesse. Ce sont tous des pourris de sansonniais
et des tord-la-loi.

SOPHIE

C'est faux ! Certains d'entre eux sont très gentils.

BGG

Qui ça ? Donne-moi un nom.

SOPHIE

La reine d'Angleterre. Vous ne pouvez pas la traiter
de pourrie de sansonniais et de tord-la-loi.

BGG

Euh…

SOPHIE

J'ai trouvé ! Écoutez-moi, BGG. Nous irons voir la
reine pour lui parler des géants. Elle fera quelque
chose, j'en suis sûre.

BGG

Elle ne croira jamais que les géants existent.

Sophie, *frappée d'une idée soudaine*
Dans ce cas, on la fera rêver aux géants. Pouvez-vous faire rêver à quelqu'un n'importe quoi ?

BGG
Euh, oui. Je pourrais confectionner un tel rêve, mais…

Sophie
Alors, préparez un rêve digne d'une reine !

Le BGG réfléchit, puis il passe à l'action.

BGG
Digne d'une reine !

Il se précipite vers ses étagères, il prend des bocaux et verse de petites quantités de chacun d'eux dans un bocal plus grand. Il mélange le rêve à l'aide d'un fouet de cuisinier, puis il transfère le contenu dans un bocal plus petit. Il le range dans sa valise, prend sa cape et la Poupée Sophie. Il sort à toute vitesse. Sophie observe la suite en se plaçant sur le côté. Les géants s'arrachent à leur immobilité et, survoltés, ils se mettent en ligne.

Géants
En Angleterre !

Ils sortent tous, d'un air menaçant. Le BGG entre, vêtu de son gilet, et il se met à courir sur place, en tenant sa valise et la Poupée Sophie. Au bout d'un moment, il ralentit.

SOPHIE

Le BGG arriva en Angleterre. Sophie lui indiqua la direction de Londres. Puis du palais de Buckingham !

Le BGG, brandissant la Poupée Sophie, regarde devant lui, puis marche vers le public au moment où…

RIDEAU

Sophie et la reine

Cette courte pièce fait appel à trois actrices et à un narrateur (ou une narratrice) et ne nécessite que quelques accessoires et costumes simples. L'humour de la scène sera renforcé si la reine s'efforce de conserver son maintien royal à mesure que surgissent les révélations, et si Mary semble de plus en plus « effrayée ».

Personnages

Un narrateur

Sophie : vêtue de sa chemise de nuit, avec ses lunettes.

La reine : bien qu'elle soit au lit, elle devra porter une robe de chambre. Sa couronne peut être simplement découpée dans un carton peint en doré, ou bien plus sophistiquée, ornée de pierres précieuses. Ses pantoufles sont posées près du lit.

Mary : la femme de chambre de la reine. Elle porte un simple uniforme de domestique, sobre, avec un tablier.

Décor

La chambre de la reine peut être représentée facilement en utilisant le lit comme élément principal. La fenêtre doit se trouver sur scène; ce peut être une fenêtre imaginaire, suggérée par des rideaux. Pas besoin de voir la porte.

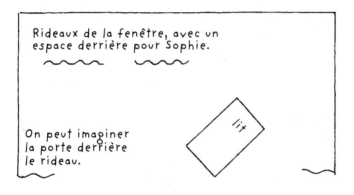

Accessoires

Le plateau du petit déjeuner de la reine : il est censé être en argent et recouvert d'une nappe blanche. Dessus se trouvent une théière, en argent elle aussi, et un pot à lait, avec une tasse et une soucoupe. Tous ces accessoires devraient être fixés sur la nappe ou sur le

plateau pour éviter qu'ils ne se brisent quand Mary
lâche le plateau.

Un journal

Une grosse tête de BGG : à la fin de la scène, elle doit
apparaître à la fenêtre. Ce peut être une tête découpée
et fixée au bout d'un bâton, que l'on fait avancer lentement entre les rideaux ou derrière la fenêtre.

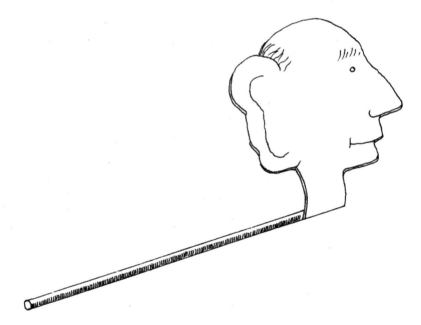

Bruitages

Vous pouvez enregistrer le tic-tac d'une pendule ou bien le jouer en coulisses sur un xylophone. Vous pouvez également faire entendre un chant d'oiseau pour annoncer le lever du jour.

Pour les coups frappés à la porte, si vous n'avez pas de vraie porte, essayez de frapper sur un morceau de bois avec un marteau ou bien cognez sur le plancher.

Il est préférable d'enregistrer les bruits de pas et la voix du BGG. Des pas lourds qui résonnent, suivis d'une grosse voix grave. Si vous parlez en direct, donnez l'impression qu'elle est « énorme ».

Éclairages

Si vous disposez de lumières, l'éclairage de nuit doit permettre aux spectateurs de voir le visage de la reine pendant son cauchemar.

L'aube doit s'éclairer peu à peu.

Le noir total à la fin de la scène produira un certain effet.

SOPHIE ET LA REINE

LE NARRATEUR

Sophie et le Bon Gros Géant ont entendu les autres géants dire qu'ils partaient à Londres pour s'empiffrer de déliculents mouflets. Sophie décide d'alerter la reine d'Angleterre, qui les aidera certainement. Pour la convaincre de l'existence des géants, le BGG a soufflé un rêve spécial par la fenêtre de la chambre de la reine au palais de Buckingham. Et il a installé Sophie derrière les rideaux.

Le rideau se lève. La reine est dans son lit, sa couronne à portée de main. C'est la nuit. Au bout d'un moment, la reine se met à remuer la tête de droite à gauche : elle rêve.

LA REINE, *elle parle dans son sommeil.*

Oh, non ! Non ! Arrêtez-les ! Empêchez-les de faire ça ! C'est affreux ! Par pitié, arrêtez-les ! C'est effroyable ! Non ! Non !

Alors qu'elle replonge dans un sommeil paisible, un tic-tac symbolise le temps qui passe, et la lumière indique que le jour se lève. Soudain, on frappe à la porte. Mary, la femme de chambre, entre avec le plateau du petit déjeuner et le journal.

MARY

Bonjour, Votre Majesté. Voici votre thé.

La reine se réveille.

LA REINE

Oh, Mary! je viens de faire un rêve terrifiant! C'était épouvantable!

MARY

J'en suis navrée, Madame. Mais cessez de vous tourmenter. Vous êtes réveillée maintenant.

LA REINE

J'ai rêvé que des garçons et des filles étaient arrachés de leurs lits dans un pensionnat et dévorés par d'effroyables géants! *(Mary tend l'oreille.)*
Les géants passaient les bras par les fenêtres du dortoir et prenaient les enfants entre leurs doigts. C'était si... si... vivant, Mary! Si réel! *(Mary ouvre de grands yeux. La vaisselle tremble sur le plateau.)*

Mary! Qu'y a-t-il?
(Soudain, Mary lâche le plateau, dans un fracas.)

Mary !

MARY
Pardon, Votre Majesté…

LA REINE
Je pense que vous devriez vous asseoir. Vous êtes
pâle comme un linge. *(Mary s'assied au bord du lit.)*
Il ne faut pas réagir ainsi parce que j'ai fait un rêve
affreux, Mary.

MARY
Ce… ce n'est pas à cause de cela, Madame… *(elle prend
le journal)* regardez ! Regardez la une ! Les gros titres !

LA REINE, *elle ouvre le journal.*
Miséricorde ! *(Elle lit…)* « Des enfants disparaissent
mystérieusement de leurs lits au pensionnat. Des
os ont été retrouvés sous les fenêtres du dortoir ! »
(Elle retient un hoquet en lisant l'article.) Quelle horreur ! C'est
tout bonnement terrifiant ! Ah, les pauvres enfants !

MARY
Mais, Madame… ne voyez-vous pas ?

LA REINE
Quoi donc, Mary ?

Mary

Ces enfants ont été enlevés presque comme dans votre rêve, Madame !

La Reine

Mais pas par des géants, Mary.

Mary

Non, Madame. Mais tout le reste. Vous en avez rêvé et… et… et c'est arrivé. Pour de vrai ! Oh, ça fait peur, Madame. C'est pour ça que j'étais toute tourneboulée.

La Reine

Moi-même, je me sens un peu tourneboulée, Mary.

Mary

Quand une chose pareille se produit, ça me donne des frissons, Madame, je vous assure.

Elle ramasse le contenu du plateau.

La Reine

J'ai effectivement rêvé de ces enfants, Mary. C'était clair comme du cristal.

Mary

Je n'en doute pas, Madame.

LA REINE, *d'un ton plus léger*

En revanche, je ne sais pas ce que les géants viennent faire là-dedans. C'était n'importe quoi !

MARY

Dois-je ouvrir les rideaux, Madame ? Cela nous fera du bien. Le temps est superbe.

LA REINE

Oui, faites.

Mary ouvre les rideaux. Sophie apparaît.

MARY

Aaaaaaaah !
(Sophie semble effrayée. La reine semble effrayée. Mary semble effrayée, mais elle est la première à se ressaisir.)
Qu'est-ce que vous faites ici ?

SOPHIE

Je vous en prie, je... *(Elle jette un regard suppliant à la reine.)*

LA REINE

Je n'en crois pas mes yeux. Non, je n'en crois pas mes yeux.

MARY

Je vais la faire sortir de ce pas, Madame.

La Reine, *d'un ton sec*

Non, Mary, ne faites pas ça. Mais dites-moi, y a-t-il vraiment une petite fille en chemise de nuit devant ma fenêtre, ou suis-je toujours en train de rêver ?

Mary

Vous êtes parfaitement réveillée, Madame, et il y a bien une petite fille en chemise de nuit devant la fenêtre, mais Dieu seul sait comment elle est arrivée là.

La Reine, *elle se souvient.*

Je sais, moi, comment elle est arrivée là. Je l'ai rêvé également. C'est un géant qui l'a mise là ! *(Mary laisse échapper un petit cri.)* N'est-ce pas la vérité, ma petite ?

Sophie

Oui, Votre Majesté.

Mary

Mince alors !

La Reine

Et tu t'appelles… *(Sophie s'apprête à répondre.)*
Non, ne dis rien ! Mary, approchez. *(Mary s'approche de la reine.)*
Elle s'appelle… *(Elle chuchote à l'oreille de Mary.)*

MARY

Impossible, Madame, comment pouvez-vous savoir ça? *(Elle s'adresse à Sophie.)* Comment t'appelles-tu, ma petite?

SOPHIE

Je m'appelle Sophie.

MARY

Aaaaaaaah! *(Elle porte sa main à son cœur et regarde tour à tour Sophie et la reine, d'un air abasourdi.)*

LA REINE

Je vous l'avais dit. Approche, Sophie.

Sophie approche. À ce moment-là, la reine peut mettre sa couronne.

Assieds-toi, mon enfant.

Sophie s'assoit sur le lit de la reine.

Es-tu bien réelle?

SOPHIE

Oui, Votre Majesté.

LA REINE

C'est vraiment un géant qui t'a amenée ici?

SOPHIE

Oui, Votre Majesté. Il est dehors, dans le jardin.

Mary frémit.

LA REINE

Ah oui? Dans le jardin?

SOPHIE

C'est un bon géant, Votre Majesté. Un Bon Gros Géant. Il ne faut pas avoir peur de lui.

LA REINE

Je suis ravie de l'apprendre.

SOPHIE

C'est mon meilleur ami.

LA REINE

Comme c'est charmant.

SOPHIE

Vous voulez que je l'appelle?

LA REINE, *après un moment de réflexion*

Soit.

Sophie court à la fenêtre.

MARY

Est-ce bien prudent, Madame ?

LA REINE

Mes pantoufles, Mary.

Mary va chercher les pantoufles, tandis que la reine se lève. La reine enfile ensuite ses pantoufles.

SOPHIE, *elle crie à la fenêtre.*

BGG ! Sa Majesté la Reine aimerait vous voir !

Un silence. Mary et la reine se regardent ; elles pensent qu'il ne va rien se passer.

LA REINE

Je ne vois aucun géant.

SOPHIE

Attendez, je vous en prie.

MARY

Dois-je la mettre dehors maintenant, Madame ?

Soudain, des pas lourds résonnent au dehors. Mary et la reine attendent avec angoisse. Les pas s'arrêtent. Une grosse voix retentit…

BGG, *en voix off*

Votre Majestueuse, je suis votre humble serveur.

Tout à coup, un énorme BGG apparaît à la fenêtre. Mary hurle « en silence » et s'évanouit sans que la reine s'en aperçoive.

La Reine, *sans se laisser démonter*

Nous sommes enchantée de faire votre connaissance. Mary, demandez à M. Tibbs de préparer un petit déjeuner pour nos deux visiteurs. Dans la salle de bal, je pense. *(Un silence.)* Mary ? *(Elle se retourne et découvre Mary couchée par terre.)*

Oh.

NOIR OU RIDEAU

Petit déjeuner
au palais
de Buckingham

Cette pièce propose plusieurs rôles parlants et plusieurs rôles muets intéressants. Le passage facultatif, avant que débute le dialogue, permet de faire intervenir un groupe d'employés du palais qui s'affairent sur scène pour installer le décor, sous l'œil attentif de M. Tibbs, le maître d'hôtel. Ils peuvent, par exemple, apporter la table et dresser le couvert, disposer les chaises, et aussi amener le BGG.

Même si, dans son livre, Roald Dahl ne signale pas que les reines d'Angleterre et de Suède sont en robe de cérémonie, je pense que cela renforce l'humour et la théâtralité de la scène ! Les chefs d'état-major de l'armée de l'air et de l'aviation doivent aller deux par deux, tels des soldats de plomb, en synchronisant leurs mouvements et en se montrant extrêmement pompeux.

Personnages

Le BGG : puisque dans cette pièce, les autres personnages ont une taille normale, le BGG doit être gigantesque ! Idéalement, ce devrait être une immense marionnette, assise, comme dans le livre, sur une commode elle-même juchée sur un piano et utilisant une table de ping-pong posée en équilibre sur quatre horloges en guise de table. Un moyen beaucoup plus simple consiste à l'imaginer dans les coulisses, et tout le monde lève la tête pour s'adresser à lui !

Un bon compromis pourrait être un grand panneau peint représentant le géant à table, derrière lequel un acteur monté sur un escabeau passerait la tête par un trou, ou au-dessus. Il est possible également de manipuler au-dessus du panneau une tête géante qu'on aura découpée.

Un narrateur

La reine : idéalement en robe de cérémonie.

Sophie : vêtue de sa chemise de nuit, avec ses lunettes, mais portant sans doute une robe de chambre trop grande (celle de la reine ?).

M. Tibbs, le maître d'hôtel : il arbore la tenue complète de sa fonction.

Mary, la femme de chambre.

Une servante.

D'autres servantes (facultatif).

Un chef cuisinier (facultatif).

La reine de Suède : en robe de cérémonie, elle aussi.

Chef d'état-major de l'armée de terre.
Chef d'état-major de l'aviation : tous les deux en uniforme.

Décor
La salle de bal du palais de Buckingham peut être représentée très simplement par un rideau au fond de la scène.

Un porche majestueux par lequel entrent les acteurs produirait un bel effet, mais ce n'est pas essentiel.

Une table de petit déjeuner avec deux chaises, dans un coin de la scène.

Le BGG, comme décrit précédemment, se trouve dans le coin opposé.

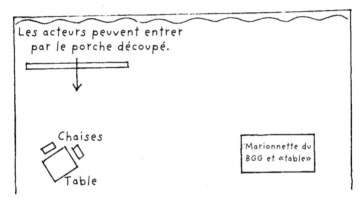

Accessoires

La table de petit déjeuner : couverte d'une nappe d'un blanc éclatant. Dressée pour deux personnes, avec peut-être un porte-toasts, quelques toasts et un beurrier.

Une assiette géante, probablement faite en papier

mâché et dans laquelle on a déposé du bacon, des œufs et des saucisses, factices évidemment.

Une fourchette géante.

Un petit plateau en argent : avec un téléphone portable posé dessus.

Un second téléphone portable : pour la reine de Suède.

Deux bâtons : pour les chefs d'état-major.

Bruitages et musique

Un air majestueux pourrait être joué pendant la scène d'introduction.

Une fanfare devra annoncer l'entrée de la reine.

Un roulement de tambour militaire devrait accompagner l'entrée des deux chefs d'état-major.

Le « crépitage » géant peut être enregistré, ou joué en direct dans un micro ! Quoi qu'il en soit, il doit être très bruyant et vulgaire.

La sonnerie du téléphone peut être enregistrée, elle aussi, ou produite en direct avec une sonnette électrique. Comme le téléphone est suédois, choisissez de longues sonneries ininterrompues.

Éclairages

Aucun éclairage particulier n'est nécessaire. Toutefois, si

vous choisissez de jouer la scène d'introduction, celle où les employés du palais préparent la salle de bal pour le petit déjeuner, il serait bon d'utiliser une lumière bleutée ou du moins un éclairage tamisé, qui augmentera quand la reine et Sophie feront leur entrée.

Pour la scène principale, un éclairage vif est préférable. Si possible, des lumières devraient éclairer individuellement la reine d'Angleterre et la reine de Suède durant leur conversation téléphonique.

Le « crépitage » du BGG pourrait s'accompagner de lumières tremblotantes.

PETIT DÉJEUNER
AU PALAIS DE BUCKINGHAM

LE NARRATEUR

Le Bon Gros Géant et Sophie se sont rendus au palais de Buckingham pour demander à la reine d'intervenir afin d'empêcher les autres géants de continuer à dévorer des hommes de terre. Le petit déjeuner est servi dans la salle de bal.

Le rideau se lève. Musique majestueuse.

Le BGG est assis devant sa table improvisée. M. Tibbs se tient à ses côtés, d'un air solennel. Mary, la femme de chambre, et la domestique (ou deux autres domestiques) finissent de dresser la table du petit déjeuner pour deux personnes.

Un chef cuisinier entre avec une immense assiette de bacon, d'œufs et de saucisses. Il la tend poliment à M. Tibbs, puis sort. M. Tibbs tente de servir le BGG, mais la table est trop haute.

Soudain, il a une idée. Il fait signe à Mary et à la domestique, qui apportent un escabeau. Elles l'installent à côté du BGG. M. Tibbs grimpe dessus, il sert son petit déjeuner au BGG, puis redescend. Mary et la domestique remportent l'escabeau.

(Fanfare.) Entre la reine. Idéalement, elle devrait porter une tenue d'apparat : robe de bal et couronne. Peut-être même pourrait-elle tenir un petit corgi en laisse. Elle fait entrer Sophie, qui semble impressionnée en pénétrant dans la salle de bal.

M. Tibbs s'avance pour aider la reine à s'asseoir, mais celle-ci lui fait signe que Sophie doit s'asseoir la première. M. Tibbs aide donc Sophie, puis la reine. Il prend ensuite le corgi et le tend à la domestique, qui sort de scène avec l'animal.
La reine, Sophie et le BGG commencent à manger. M. Tibbs et Mary (tenant un petit plateau sur lequel est posé un téléphone portable) se tiennent à l'arrière-plan, l'air solennel. La domestique peut les rejoindre.

La musique s'arrête.

(NB : si nécessaire, la scène peut débuter à cet instant seulement.)

BGG

Pince, alors ! Votre Majestueuse, à côté de cette chose, le schnockombre est une immondissure !

LA REINE

Je vous demande pardon ?

SOPHIE

Il n'a jamais mangé autre chose que du schnoc-kombre, Votre Majesté. Ça a un goût répugnant.

LA REINE

Apparemment, cela n'a pas retardé sa croissance!

BGG

Où est la frambouille, Votre Majestueuse?

LA REINE

La quoi?

BGG

La savouricieuse pétillante frambouille! Tout le monde doit en boire. Comme ça, après, on peut crépiter joyeusement tous ensemble!

LA REINE

De quoi parle-t-il? Qu'entend-il par « crépiter »?

SOPHIE

Pardonnez-moi, Votre Majesté. *(Elle s'approche du BGG.)* BGG, il n'y a pas de frambouille ici et il est strictement interdit de crépiter.

BGG

Quoi? Pas de frambouille? Pas de mirabuleuse musique?

SOPHIE

Certainement pas.

LA REINE

S'il veut faire de la musique, ne l'en empêche pas.

SOPHIE

Ce n'est pas vraiment de la musique...

BGG

Je peux très bien crépiter sans frambouille. Si je m'applique.

SOPHIE

Non ! Ne faites pas ça ! Je vous en supplie !

LA REINE

Lorsque je suis en Écosse, ils jouent de la cornemuse devant ma fenêtre pendant que je mange. *(Elle s'adresse directement au BGG.)* Jouez-nous donc quelque chose.

BGG

J'ai la permission de Sa Majestueuse !

Après un instant de concentration, un très long et très bruyant « crépitage » secoue l'atmosphère, faisant trembler les lumières éventuellement. Tout le monde sursaute.

Youpiii! Alors, que dites-vous de ça, Majestueuse?

LA REINE

Je crois que je préfère les cornemuses.

(Mais elle sourit, au grand soulagement de Sophie.)

Maintenant, parlons de notre affaire. Sophie, tu m'as raconté ta visite au pays des Géants et les terrifiantes expéditions nocturnes des géants pour dévorer des hommes de terre. Mais, avant de décider de prendre des mesures, je dois avoir confirmation. Bon Gros Géant, hier soir vos… collègues sont venus en Angleterre. Mais où étaient-ils allés la nuit précédente?

BGG

Je crois, Majestueuse, qu'ils s'en allaient galoper en Suède. Pour manger des hommes de terre à l'aquavit.

LA REINE

Bien. M. Tibbs, le téléphone.

M. Tibbs s'avance avec un téléphone portable sur un plateau en argent.

Merci. *(Elle appuie sur les touches, puis attend.)*

Une sonnerie de téléphone. L'éclairage change : une lumière reste sur la reine, une autre s'allume de l'autre côté de la scène. La reine de Suède fait son entrée, en robe de cérémonie. Elle tient un télé-phone à la main.

LA REINE DE SUÈDE, *au téléphone*
Allô, ici la reine de Suède.

LA REINE
Bonjour, c'est la reine d'Angleterre. Tout se passe bien en Suède?

LA REINE DE SUÈDE
Non, tout va très mal! Avant-hier soir, vingt-six de mes fidèles sujets ont disparu. C'est l'affolement dans tout le pays!

LA REINE
Ils ont été mangés par des géants. Apparemment, ils aiment le goût d'aquavit des Suédois. C'est ce que dit le BGG.

LA REINE DE SUÈDE
Je ne sais pas de quoi vous parlez. Il n'y a pas de quoi plaisanter quand vos fidèles sujets se font dévo-rer comme du pop-corn.

LA REINE
Ils ont mangé les miens également.

LA REINE DE SUÈDE

Mais qui donc, au nom du ciel ?

LA REINE

Les géants.

LA REINE DE SUÈDE

Est-ce que vous vous sentez bien ?

LA REINE

J'ai eu une dure matinée. Tout d'abord, j'ai fait un horrible cauchemar, puis ma femme de chambre a laissé tomber le plateau de mon petit déjeuner. Et maintenant, j'ai un géant assis sur mon piano.

LA REINE DE SUÈDE

Il vous faut un médecin, vite !

LA REINE

Non, ne vous en faites pas. Je dois vous laisser. Merci de votre aide. *(La lumière qui éclaire la reine de Suède s'atténue ; elle sort. La reine d'Angleterre tend le téléphone à M. Tibbs.)* La preuve est faite. Monsieur Tibbs, convoquez immédiatement le chef d'état-major de l'armée de terre et celui des forces aériennes !

(M. Tibbs s'incline, claque des doigts et désigne les coulisses.)

Roulement de tambour alors que surgissent immédiatement les

deux chefs d'état-major, en uniforme. Ils marchent au pas, avec
des bâtons sous le bras, sans remarquer le BGG. Arrivés devant la
table de la reine, ils se mettent au garde-à-vous et saluent.

La Reine
Bonjour, messieurs.

Chef de l'armée de terre
Hello, Votre Majesté!

Chef de l'aviation
Salut, Votre Majesté!

La Reine
Nous avons un travail pour vous.

Chef de l'armée de terre
Épatant, Votre Majesté!

Chef de l'aviation
Excellent, Votre Majesté!

La Reine
Vous avez entendu parler des disparitions d'enfants?

Chef de l'armée de terre
Sale affaire, Votre Majesté.

Chef de l'aviation
Une honte, Votre Majesté.

La Reine
Eh bien, ils ont été mangés.

Chef de l'aviation et Chef de l'armée de terre,
ensemble, scandalisés
Mangés ?

La Reine
Par des géants.

Un silence.

Chef de l'armée de terre
Pas si vite, Votre Majesté.

Chef de l'aviation
Des géants ?

Chef de l'armée de terre
Ça n'existe pas, Votre Majesté.

Chef de l'aviation
Sauf dans les contes de fées.

Chef de l'armée de terre
Sauf dans les contes de fées.

CHEF DE L'AVIATION ET CHEF DE L'ARMÉE DE TERRE,
ensemble
Ha, ha, ha, ha, ha!

CHEF DE L'ARMÉE DE TERRE
Elle est bien bonne, Votre Majesté!

CHEF DE L'AVIATION
On n'est pas le 1er avril, si?

CHEF DE L'AVIATION ET CHEF DE L'ARMÉE DE TERRE,
ensemble
Ha, ha, ha, ha, ha!

LA REINE
Messieurs, permettez-moi de vous présenter le Bon
Gros Géant. *(Elle pointe le doigt derrière eux.)*

CHEF DE L'AVIATION ET CHEF DE L'ARMÉE DE TERRE,
ensemble
Le Bon Gros Géant! Ha, ha, ha, ha, ha!

Ils se retournent et découvrent le BGG. Ils s'écrient ensemble.
Aaaaaaaaah!

Terrorisés, ils se jettent dans les bras l'un de l'autre.

BGG

Comment ça va, monsieur les embottés?

CHEF DE L'AVIATION ET CHEF DE L'ARMÉE DE TERRE, *ensemble*

Un géant!

LA REINE

Effectivement. Heureusement, il est gentil. Contrairement à ses collègues. Ce soir, ces brutes assoiffées de sang s'en iront galoper pour dévorer une autre douzaine de pauvres malheureux. Il faut les arrêter. Et vite.

CHEF DE L'ARMÉE DE TERRE

Message reçu, Votre Majesté!

CHEF DE L'AVIATION

Message compris, Votre Majesté!

LA REINE

Il faut les ramener vivants.

CHEF DE L'AVIATION ET CHEF DE L'ARMÉE DE TERRE, *ensemble*

Vivants?

CHEF DE L'ARMÉE DE TERRE

Mais comment, Votre Majesté? Ce sont des géants…

CHEF DE L'AVIATION
Ils vont nous balayer comme des quilles !

CHEF DE L'ARMÉE DE TERRE
Parfaitement !

CHEF DE L'AVIATION
Parfaitement !

CHEF DE L'ARMÉE DE TERRE
Indiscutablement !

CHEF DE L'AVIATION
Indiscutablement !

BGG
Attendez ! Ne vous énervez pas. J'ai la solution.

Le chef de l'aviation et le chef de l'armée de terre tentent de protester.

LA REINE
Laissez-le parler.

BGG
Chaque après-midi, tous ces géants s'allongent par terre pour roupiller au pays des Grèves.

Chef de l'armée de terre

Le pays des Grèves ? Qu'est-ce qu'il baragouine ?

Sophie

Il veut dire le pays des Rêves. Ça me paraît évident.

BGG

Il suffit de ramper jusqu'à eux et de les ligoter.

Chef de l'aviation

Mais comment faire pour ramener ces brutes ici ?

BGG

Vous avez bien des hernigropères, non ?

Chef de l'armée de terre

Il devient grossier !

Sophie

Il veut dire des hélicoptères.

Chef de l'aviation

Alors pourquoi il ne le dit pas ? Évidemment que nous avons des vélidoptères... euh, des hélicoptères.

La Reine

Dans ce cas, messieurs, au travail !

CHEF DE L'ARMÉE DE TERRE
À vos ordres, Votre Majesté. À l'attaque!

CHEF DE L'AVIATION
C'est parti! Message reçu, terminé!

Le chef de l'aviation et le chef de l'armée de terre font demi-tour et se rentrent dedans.

NOIR OU RIDEAU

L'enlèvement
des géants

Les ombres chinoises sont particulièrement efficaces pour représenter des «grandes» scènes qui seraient trop difficiles à jouer. Cette pièce est très courte, mais elle fait appel à de nombreux participants pour manipuler les marionnettes, faire les voix et réaliser les bruitages.

Il vous faudra un écran suffisamment large, installé à hauteur de table ou de tête. Une puissante lumière venant de derrière projettera les silhouettes des marionnettes sur l'écran.

La lumière doit être dirigée vers le centre de l'écran.

Voici d'abord la pièce telle que la voit et l'entend le public. Ensuite, nous nous intéresserons plus précisément aux marionnettes et aux idées de mise en scène.

L'ENLÈVEMENT DES GÉANTS

Le Narrateur

Le Bon Gros Géant et Sophie ont demandé à la reine d'Angleterre de mettre fin aux expéditions nocturnes des autres géants qui partent manger des enfants. La reine ordonne aux chefs d'état-major de l'armée de terre et de l'aviation de se rendre au pays des Géants afin de capturer les géants pendant qu'ils dorment. Le BGG et Sophie proposent de montrer la voie.

Une musique entraînante peut donner l'ambiance, tandis que l'écran s'éclaire et que les autres lumières s'éteignent. La musique peut se poursuivre durant l'«action».

On entend le vrombissement lointain des hélicoptères (celui-ci continue durant toute la pièce, plus ou moins fort en fonction de l'action).

Un oiseau vole gaiement de droite à gauche sur l'écran. Soudain, il voit quelque chose, pousse des cris rauques et bat furieusement des ailes.

Le BGG court au ralenti, en faisant de grandes enjambées, il entre à droite et se dirige vers la gauche. Il tient dans ses bras une petite Sophie.

BGG, *en écho*
Suivez-moi! Suivez-moi!

L'oiseau prend de l'altitude pour ne pas être percuté par le BGG qui traverse l'écran en courant, puis disparaît.

Le vrombissement des hélicoptères s'amplifie. L'oiseau redescend un peu; c'est alors qu'il a un second choc. Il pousse des cris rauques, bat des ailes furieusement et reprend de l'altitude, évitant de peu l'entrée de trois hélicoptères, en file indienne, de droite à gauche. L'oiseau s'enfuit.

Les hélicoptères volent en formation, ils tournent en rond. Le vacarme des moteurs devient un simple bourdonnement en fond sonore, tandis qu'on entend des voix, comme à travers des écouteurs.

CHEF DE L'ARMÉE DE TERRE
Où diable sommes-nous?

CHEF DE L'AVIATION
Je n'en ai pas la moindre idée. Je crois qu'on est sortis de la carte!

CHEF DE L'ARMÉE DE TERRE
Regardez ! Regardez en bas !
(L'hélicoptère penche sur le côté, comme s'il regardait en bas. D'énormes ronflements couvrent le bourdonnement des moteurs.)
Les géants !

CHEF DE L'AVIATION
Préparez-vous, les gars !

Trois soldats descendent lentement de l'hélicoptère avec des cordes, puis se laissent tomber sous le bas de l'écran. Les ronflements continuent.

Un tic-tac suggère le temps qui passe. La couleur de l'écran pourrait également changer.

CHEF DE L'AVIATION
Relevez le treuil !

Les cordes remontent, soulevant chacune deux géants, ligotés à l'horizontale, avec parfois un membre qui bouge. Les soldats sont juchés sur eux. Quand ils sont tous visibles, on entend les voix des géants, alors que les hélicoptères repartent et disparaissent en emportant leur gigantesque cargaison.

AVALEUR DE CHAIR FRAÎCHE
Je suis entortillé !

MÂCHEUR D'ENFANTS
Je suis tirebouchonné !

CROQUEUR D'OS
Je suis tarabistourné !

EMPIFFREUR DE VIANDE
Je suis escogriffé !

GOBEUR DE GÉSIERS
Je suis déchiqueturé !

BUVEUR DE SANG
Je suis délacéré !

Le bruit des hélicoptères s'atténue au moment où le BGG entre à droite, fermant la marche avec Sophie dans ses bras.

BGG
Sophie, on a réussi !

SOPHIE
Oui, BGG. On a réussi !

Ils disparaissent et la lumière de l'écran s'éteint, alors que le volume de la musique augmente, puis retombe.

RIDEAU ET FIN

Marionnettes

Les formes élémentaires peuvent être découpées dans du carton. Voici une suggestion de modèles et quelques méthodes de travail :

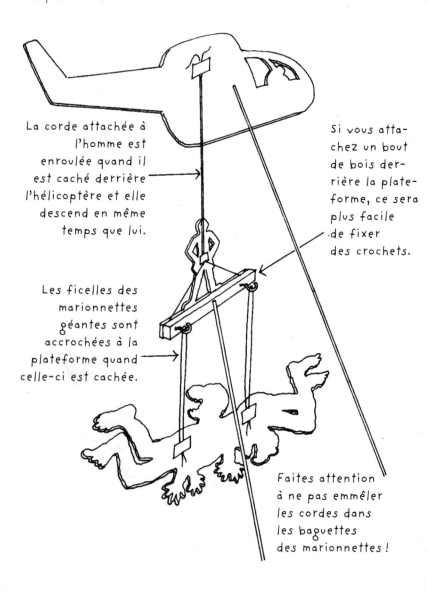

La corde attachée à l'homme est enroulée quand il est caché derrière l'hélicoptère et elle descend en même temps que lui.

Si vous attachez un bout de bois derrière la plateforme, ce sera plus facile de fixer des crochets.

Les ficelles des marionnettes géantes sont accrochées à la plateforme quand celle-ci est cachée.

Faites attention à ne pas emmêler les cordes dans les baguettes des marionnettes !

L'écran

Un drap suffit à faire un écran. Mais il serait souhaitable de créer une «zone de représentation» en noircissant les côtés, pour créer une sorte de cadre. Les marionnettes auront ainsi de la place, à l'abri des regards, pour préparer leur entrée.

NB : il est important de masquer les bords de l'écran *devant*; sinon vous créerez un rebord que les marionnettes auront peut-être du mal à franchir.

Si vous souhaitez changer la couleur de l'écran, essayez de couvrir la source lumineuse d'un gel, d'un tissu ou de papier crépon. Mais attention qu'il ne chauffe pas trop et ne s'enflamme pas !

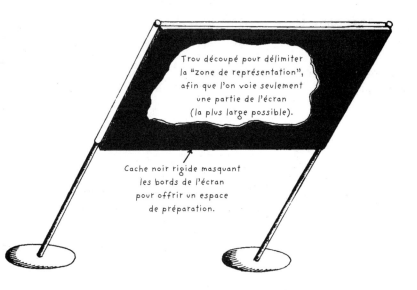

Trou découpé pour délimiter la "zone de représentation", afin que l'on voie seulement une partie de l'écran (la plus large possible).

Cache noir rigide masquant les bords de l'écran pour offrir un espace de préparation.

Voix

À l'exception des répliques des personnages, tout le monde peut participer aux ronflements.

Les chefs d'état-major de l'armée de terre et de l'aviation peuvent déformer leurs voix, comme si elles sortaient des écouteurs, simplement en se pinçant le nez !

Les cris d'oiseaux doivent être convaincants.

Bruitages

Le bruit des battements d'ailes peut être obtenu à partir d'un papier ou d'un tissu que l'on tend d'un coup sec, avant de le relâcher.

Pour le tic-tac, vous pouvez utiliser un xylophone.

Si vous ne disposez pas d'un enregistrement de bruit d'hélicoptère, groupez-vous à quelques-uns pour l'imiter.

Nous tenons à remercier Camille Fabien, le traducteur en langue française du roman de Roald Dahl, *Le Bon Gros Géant*, d'où est tirée cette adaptation théâtrale. La présente traduction ne pouvait ignorer certains termes, en particulier les noms de personnages, ainsi que de nombreuses trouvailles et inventions. Elle les reprend afin de préserver la spécificité et l'originalité de cette œuvre en français.

Si tu aimes le théâtre
tu peux lire aussi
_____
dans la collection

LE BEL ENFANT
Jacques Prévert

n° 1100

Sept petites pièces écrites dans les années 1930, pour le groupe Octobre. S'y mêlent l'engagement de Prévert et son humour ravageur.

TROIS CONTES DU CHAT PERCHÉ
d'après Marcel Aymé

n° 1132

Françoise Arnaud, petite-fille de Marcel Aymé, et Michel Barré ont choisi trois *Contes du chat perché* qu'ils ont adaptés pour le théâtre. Cette version dialoguée, fidèle au texte original, permettra à tous de jouer avec bonheur ces récits qui ont déjà fait rêver plus d'une génération!

LE ROI SE MEURT

Eugène Ionesco

n° 1133

Comique ou tragique, pathétique ou grotesque ? Le roi d'Ionesco se voit confronté à la mort. Son univers s'écroule, notre univers s'écroule. Retrouvez ce personnage désormais classique, qui incarne l'angoisse de l'homme, son humour aussi, et qui a fait pleurer, rire et pleurer de rire des salles entières de spectateurs.

LA PLACE DE L'ÉTOILE

Robert Desnos

n° 1170

Méconnue, rarement jouée, *La Place de l'Étoile* fut écrite à la fin des années vingt par Robert Desnos, l'un de nos plus grands poètes surréalistes. Ce chef-d'œuvre de drôlerie insolite se compose de neuf scènes où se croisent d'improbables personnages à la fois proches et fuyants, en une ballade étoilée aux multiples branches.

CHARLIE ET LA CHOCOLATERIE

d'après Roald Dahl

n° 1235

Charlie monte sur les planches. Retrouvez-le, dans cette adaptation du célèbre roman de Roald Dahl, en quête du fameux ticket d'or. Parti en héros à la découverte de la fabuleuse chocolaterie et de ses folles machines, Charlie est entraîné dans un univers fantaisiste et irrésistiblement drôle.

L'INTERVENTION

Victor Hugo

n° 1236

Edmond peint des éventails, Marcinelle est brodeuse. Ils s'aiment mais ils sont pauvres. Un jour, une chanteuse et un baron font irruption dans leur petite mansarde. Sauront-ils résister à la tentation d'une vie plus facile mais superficielle ? Une pièce étonnante, drôle et virulente, tirée du *Théâtre en liberté* de Victor Hugo.

LE MINOTAURE

Marcel Aymé

n° 1292

Un citadin nostalgique de la campagne fait installer un tracteur au beau milieu de son salon. Sa femme est horrifiée, mais l'idée est du dernier chic !

LE BAL DES VOLEURS

Jean Anouilh

n° 1317

La ville de Vichy est réputée pour sa tranquillité et ses bienfaits. Mais de drôles de voleurs cherchent à détrousser les curistes et à séduire les jeunes filles de la bonne société… Une comédie gaie et pétillante d'une fantaisie étourdissante. Une vraie fête du théâtre par l'un de nos plus grands dramaturges.

LA MAGIE DE LILA

Philip Pullman

n° 1436

Dans un lointain royaume d'Orient, Lila rêve de fabriquer des feux d'artifice comme son père. Mais pour cela, elle doit gravir un volcan et en rapporter le soufre royal. L'intrépide Lila se lance dans l'aventure, aidée de ses fidèles amis, Chulak et Hamlet, un éléphant qui parle !

SACRÉES SORCIÈRES

d'après Roald Dahl

n° 1452

Roald a perdu ses parents dans un accident de voiture et il vit avec sa merveilleuse grand-mère. Mais les Sorcières rôdent partout, en quête de chair fraîche, et traquent les petits enfants… Sept courtes pièces en forme de variations à partir du célèbre roman de Roald Dahl.

Le papier de cet ouvrage est composé
de fibres naturelles, renouvelables,
recyclables et fabriquées à partir de bois provenant
de forêts gérées durablement.

Mise en pages : Dominique Guillaumin
Loi n° 49-956 du 16 juillet 1949
sur les publications destinées à la jeunesse
ISBN : 978-2-07-065366-9
Numéro d'édition : 301777
Dépôt légal : février 2016
Premier dépôt légal dans la même collection : juillet 2013
Imprimé en Espagne par Novoprint (Barcelone)